오늘 더 활짝 핀 나

부천시 원미노인복지관 일인일저 책쓰기반 지음 ┃ 김문경 지도

오늘 더 활짝 핀 나

꽃늘 부크크

차례

차례

차례

차례

차례

꿈이런가   유이순

차례

차례

아름다운 인생   장유진

차례

차례

차례

추천글

'노인 한 명이 사라지는 것은
도서관 하나가 없어지는 것과 같다.'

현재 우리는 역사 이래 가장 빠르게 변해가는 시대에 살고 있습니다. 다양한 디지털기기 특히 스마트폰 하나로도 다양한 정보습득이 손쉽게 가능하여 세대, 국경의 구분 없이 지식수준이 높아지고 있습니다.

빠르게 변해가는 만큼 경험하지 못한 많은 사회문제도 발생하고 있습니다. 이러한 사회문제는 비단 오늘날의 지식만으로 해결할 수 없을 것입니다. 이때 필요한 것은 우리 어르신들의 지혜라고 생각합니다.

어르신은 지혜의 상징이라고 합니다. 아프리카 속담에 '노인 한 명이 사라지는 것은 도서관 하나가 없어지는 것과 같다'라고 했습니다.

상동도서관의 지원으로 진행한 1인1저 '오늘 더 활짝 핀 나, 내 글 내 책' 프로그램은 우리 원미노인복지관 어르신들께서 그동안 살아오신 어제의 삶과 현재의 삶을 글로 정리하며, '나'를 돌아보는 소중한 시간이 되었을 거라 생각됩니다.

　　이번 프로그램을 시작으로 젊은 세대에게 어르신들의 경험과 삶의 지혜가 계속해서 전해질 수 있도록 집필 활동을 이어가시기를 부탁드리고, 응원하겠습니다.

　　끝으로 우리 어르신들에게 좋은 기회를 주신 상동도서관과 지도 강사님께 진심으로 감사의 말씀을 드립니다.

부천시 원미노인복지관장 조영훈

추천글

　늦은 나이에 자신의 꿈을 이룬 사람을 레이트 블루머 (Late Bloomer)라고 합니다. 가능성을 스스로 닫지 않는다 면 우리는 누구나 예쁜 꽃을 피울 수 있는 소중한 존재임을 강조한 말이기도 합니다.

　원미노인복지관에서 함께한 일인일저(一人一著) 프로그램 이름을 '오늘 더 활짝 핀 나, 내 글 내 책'으로 진행했습니다. 책쓰기를 배우러 오는 분들은 나이라는 굴레에 속하지 않고 꽃을 피우기 위한 분들이 오시지 않을까 하는 생각에 그리 지 었습니다.

　프로그램 이름을 잘 지었나 봅니다. 매시간 책쓰기에 대한 어느 것이라도 놓치고 싶지 않다는 초롱초롱한 눈빛을 보여 주시는 선생님들의 열정이 마치 꽃을 피우기 전에 한 껏 빛 을 내는 꽃봉오리같이 보였습니다. 선생님들께서 살아온 삶이 녹아든 감정과 어휘들이 담긴 깊이가 있는 글을 통해 저 또 한 배우고 성장하는 시간이기도 했습니다.

제가 글을 쓰는 기술적인 요소를 전했다면 함께해 주신 선생님들께서는 삶을 글로 담고 깊이 우러나는 방법을 제게 알려주셨던 것 같습니다.

　그 누구보다 반짝이는 눈빛과 열정적으로 수업에 참여해 주신 원미노인복지관 선생님들께 다시 한번 감사의 마음을 전합니다.

일인일저 책쓰기 강사 김문경

두 번째로 쓰는 육아일기 엄마의 약속

박성숙

작가 이야기

저는 팔 남매 중 둘째로 태어났습니다.

일흔일곱 살에 둘째 외손자를 돌봄 하고 있습니다. 올해 일흔아홉 살이고 외손자는 세 살입니다.

너무 힘듭니다. 말도 몇 가지 합니다. 할머니는 '어! 어!'로 부릅니다. 아침에 딸네 집에 가서 한 시간 봐주고 어린이집에 데려다주고 집에 옵니다. 오후 4시에 다시 어린이집에서 데리고 와서 6시 넘어까지 봐주고 집에 옵니다. 아프면 병원도 가고 감기나 전염병(수두)에 걸리면 집에서 며칠 지냅니다.

'엄마의 약속'은 내가 딸에게 했습니다.
"지우지 마! 내가 길러줄게"

둘째 외손자는 세상에 나와 나의 돌봄으로 직장 다니는 부모에게서 자라고 있습니다. 황혼에 혼자 돌봄을 하기는 버겁지요. 한국에 할머니들이 돌봄을 안 하면 저출산은 뻔합니다. 빨리 돌봄이 끝나기를 바랄 뿐입니다.

돌봄 하시는 조부모님들께서 위로의 말씀을 드리며 이 글을 써봅니다.

2023년 7월 20일

박성숙

엄마의 약속

　내 딸 진이가 첫 출산 후 살이 안 빠져서 7년 동안 띵띵하다가 13kg 감량하여 예뻐졌다. 나도 보기 좋아서 축하 해줬다. 똘이를 낳고 부은 살이다. 비만 치료하느라 돈이 들었다. 딸이 몸매를 보이며 자랑했다. 3개월 후에 딸이 심각한 표정으로 왔다.

　"어디 아파?"

　"아뇨! 안 아파요"

　"그런데, 왜 그래"

　"엄마, 나 임신이래"

　"이게 무슨 일이냐! 응?"

　너무 놀랐다. 이 일을 어떻게 하나…. 반가움 반 걱정 반이다. 내가 키워야 하는 것을 알고 있었다.

　"안 낳을 거야 지우려고"

　"너의 새댁에서 아냐?"

　"응! 남편이 말했어. 시어머니는 좋아하셔요. 태몽도 꾸셨다고 하고…"

사위가 어떡하든 벌어 올 테니 낳자고 보챈다고 한다.

나는 잠시 말이 없이 딸을 쳐다봤다. 그 얼굴에는 낳고 싶은데 낳고 싶은데 하는 표정이다.

"그럼 낳아야지! 어떻게 없애냐?"

하고 달랬다. 딸아이가 직장을 그만두면 안 되는 생활이다. 내가 봐줘야 이 아이는 태어난다는 것을 알고 있다.

낮에는 내가 봐주고 좀 크면 어린이집 보내고 하면 된다. 한 생명이 찾아 온 것은 참 기쁜 일인데, 나와 내 딸은 마음이 편치 않다. 답답하다. 첫 아이가 있기에 두 번째 아이에 대해 이런 말을 하는 내가 한심하다. 아기 안 낳는다고 나라에서 여러 정책을 펼치고 있지만, 결혼도 쉽지 않은 세상이다. 미혼모로 준비 없이 부모가 되어 애기 낳고 길러보다 너무 힘들어서 헤어지고 조부나 조모가 떠맡아 기르는 경우도 참 많은 현실이다.

딸은 똘이를 낳고 겨우 전세를 산다. 전셋돈은 2년마다 올라 갚기는커녕 대출을 더 내어 2년마다 대출 이자만 더 내고 있다. 똘이 하나 키우는데도 힘들어하고 있다.

나는 내 딸의 엄마다. 손자가 못 태어나는 것은 내 탓인 것 같다. 내가 길러주면 낳을 거란 걸 알고 있다.

"진아, 내가 길러줄게. 낳아라. 똘이가 다 컸으니까."

딸이 엉엉 운다. 나는 딸을 안아주고 등을 쓸어준다.

"엄마도 나이가 많잖아요." 자꾸 운다.

"고맙습니다."

딸은 눈물을 추스르고 집으로 돌아갔다.

나같이 늙은 부모가 있는 집은 둘째를 낳는 집이 더러 있다. 부모가 네 자식이니까 키우라고 하면 낳지 않는다. 대한민국은 아기 낳는 조건은 몹시 어렵다.

딸아이는 내가 사는 가까운 곳으로 이사를 했다. 딸이 분만을 하러 병원에 갔을 때 코로나19는 더욱 심하게 번지고 많은 사람이 죽었다. 나는 바깥에서 꼬물이를 만났다. 사위도 분만실에 들어가지 못하고 문밖에서 대기하고 있다가 만났다. 사진을 찍은 후에 바로 신생아실로 간호사가 데려갔다.

그 이후에는 면회도 없었다. 입원실도 분만 전에 있다가 이튿날 일인 산후조리원으로 옮겼다. 필요한 것은 전화로 주문하면 일 층에서 코로나 접종자라야 면회가 되었다.

아슬아슬한 면회 시간이라 통통 부은 딸을 보고 잘 해냈다고 전했다. 이것이 행복의 첫걸음이다. 딸아이는 일주일이 되어 아침 일찍 퇴원 절차를 밟고 아기랑 집으로 왔다. 코로나19에 걸리지 않고 퇴원해 참 다행이었다.

자식들은 길러놓으면 잘 살기 마련이다. 부모가 사는 법을 보았기에 더 나은 삶을 살아간다. 할머니보다 엄마가 잘살았고, 엄마보다 내가 더 잘 살았고. 나보다 내 딸이 더 잘살고 있다. 전문 직업까지 갖고 있다. 외손자 둘은 더 잘 살 것이다. 맞벌이하는 부모 밑에서 자랐으니 더 잘살지 않을까 한다.

내가 있어서 내 딸이 행복하다. 돌봄은 나를 골병들게 하는 것이 아니라 딸에게 가장 소중한 엄마로 산다. 이것이 나의 약속 돌봄이다. 10년 후에는 똘이는 스물한 살이고 꼬물이는 10살이다. 그때까지 내가 살아 있다면 얼마나 좋을까.

서툰 산후조리도 내가 한다. 오히려 딸이 잘 버텨줘서 산후조리가 끝났다. 아기는 낮에 잘자, 딸도 그때 같이 재우며 보냈다. 오후가 되어서는 집에 온다. 저녁에는 사위가 와서 아기 목욕을 시켰다. 시간도 날도 번쩍번쩍 지나가고 기저귀 빨래도 없으니까 좋고 40도 자동 물 끓이기를 사서 타서 먹이면 되고 소독장도 있어서 젖병도 삶지 않아도 됐다.

엄벙덤벙 백일이 지나고 딸 진이가 복귀해서 출근했다. 아기 낳고 기운 없어도 잘도 버티더니 한 달이 지나니까 못하겠다고 한다. 쉬라고 하니까 3개월 버텨야 실업급여 받는다고 꺼이꺼이 다녔다. 3개월을 쉬고 또 근무하러 갔다. 몸을 못 추스르고 자꾸 결근하더니 육아 휴직 7개월을 신청해서 10개월 된 꼬물이를 어린이집에 보냈다.

나는 집에서 아이 돌봄을 안 하고 쉬었다. 7개월 지나고 한 달을 더 연장 신청을 해서 휴직은 다 썼다. 다시 그 직장은 못 가고 지금 다니는 직장을 옮겼다. 아직은 복지가 어려운 사회다. 꼬물이는 첫돌이 지나고 어린이집을 옮겼다. 바로 길 건너로 가까운 곳으로 가니까 참 좋다.

훌쩍 커버린
꼬물이

꼬물이가 걸음마를 시작했다. 딸이 출근하고 나는 아기를 보다가 9시 지나면 어린이집에 데려다주고 집에 온다. 오후 4시에 꼬물이를 데려온다. 집으로 가는 길에는 바로 집으로 안 가고 놀이터로 가서 논다. 미끄럼도 타고 비둘기도 잡으러 다니고 뛰어다니다 넘어지기도 한다. 두 돌이 지나니까 이제는 내가 벅차다. 꼬물이 따라다니고 유모차 태워주고 하루에 만 보를 더 걷는다. 주5일을 보는데, 이건 지옥을 만났다. 아, 이것이 돌봄이구나. 힘이 든다.

금요일에는 사위가 일찍 와서 교대해준다. 6시 전에 퇴근해서 온다. 절뚝거리며 천천히 걸어온다. 꼬물이는 아침에도 8시가 조금 넘으면 양말 신고 신발 신고 계단도 난간 잡고 잘 내려온다. 유모차 태우면 그 조그만 손가락으로 놀이터 방향을 가리킨다. 놀이터에 가면 아침이라 아무도 없다. 운동기구 이용하시는 어른들이 운동을 하고 계신다. 이슬이 미끄럼틀에 있다. 나는 계단과 미끄럼 타는 곳을 깨끗이 닦아준다.

걸레도 유모차에 챙겨 다닌다. 하나둘씩 어린이집 안 가는 아이들도 미끄럼을 타러 나온다. 9시가 넘어서 꼬물이 담임선생님이 오늘 견학 간다고 가식 먹여야 하니 빨리 오라고 한다. 우는 꼬물이 훌쩍 들어 유모차에 태워서 어린이집으로 간다. 빨리 걸으면 무릎이 아프다. 그래도 10시에 떠난다고 하니까. 빨리빨리 밀고 갔다.

아침에 데려다주고 오는 길에는 무릎이 아파 절뚝거리며 온다. 집에 와서 잠시 누워 잔다. 배고플 때는 밥을 먹고 누워버린다. 몸이 물먹은 솜뭉치처럼 무겁다.
오후 2시쯤에 일어난다. 감쪽같이 무릎이 안 아프다. 그때부터 꼬물이가 하원할 때까지는 내 시간이다. 글쓰기를 해서 글도 모으고 그림도 그리고 뒤란에 꽃 화분에 물도 주고 마트에 가서 꼬물이 간식거리와 내가 먹을 채소도 사 온다. 그러다 시간이 다 되어 꼬물이를 데리러 간다.

순간, 아, 이러니까 아이를 안 낳는다는 생각이 든다. 딸이 맞벌이하느라 내가 이렇게 힘들게 사는구나 세 살배기 사내아이는 지칠 줄 모르고 활발하다. 큰애 똘이는 60대에 길러서 힘든 줄도 몰랐다. 70대에 세 살배기는 79세이다. 나는 지치고 지친다.

11살 초등학교 4학년은 돌볼 새도 없다. "할머니 배고파"

똘이가 어리광을 부리면 "사서 먹어! 카드 있지?" 그래 버린다. 슬픈 표정을 하고 종로김밥집에가서 사다가 제방에 들어가 먹는다. 꼬물이는 손이 많이 가는 때라 정신이 없다. 벽걸이 TV를 손으로 두드리고 장난감 자동차는 수북이 한쪽에 쌓인다. 전부 바퀴를 손으로 밀어버리니까, 소리 질러도 막무가내다. 큰애는 꼬물이 때문에 방에서 안 나온다. 거실이 장난감으로 발 디딜 틈이 없다.

6시도 금방 되어 사위가 오면 나는 그냥 와버린다. 오면서 웃어본다. 말 안 듣는 꼬물이가 대견스러워서…. 벌써 많이 컸구나. 뺀들뺀들 말을 안 듣고 내 말은 싹 무시해버린다. 어느새 집에 도착한다.

며칠이 지나고 꼬물이가 말은 안 듣고 거기다 보태서 나한테 어! 어! 하면서 대든다. 어찌나 예쁜지 꼭 안아주었다. 며칠 새 더 컸구나.

딸은 돈 버느라 바쁘다. 학원비. 게임비, 용돈, 키즈까페, 외식, 제법 돈이 든다. 사위 혼자 벌어서는 대출갚느라 보험비와 차 유지비하고 식비, 경조사, 의료비는 딸이 버는 거로 하고 거기에 내 병원비, 약값 용돈, 돌봄비는 딸이 맡는다고 들었다.

빠듯하게 사는 것 같다. 애들 옷 사는 것도 내가 자식 기를 때와는 딴판이다. 입이 떡 벌어지게 써버린다.

돌봄의 어려움

곳곳에 어려움이 웅크리고 앉아 있다.

나는 주말이나 공휴일에만 아파야 한다. 딸이 출근하면 나는 아기를 봐야 한다. 그래서 내일 아기를 볼 수 있는 준비를 해야 한다.

나는 늦잠을 좋아한다. 느긋하게 일어나 아침 겸 점심을 먹는다 외출은 언제나 오후에 한다 그런 생활이 내게는 오래 지속되었다. 자식 셋이 고등학교를 마칠 때까지 매일 일찍 일어났다. 그러다 막내가 대학 들어가는 날부터 나는 늦잠쟁이가 되었다.

고마운 남편은 나를 깨우지 않고 새벽에 일어나 밥을 먹고 나가버린다. 술을 많이 먹고 오는 날도 일찍 일어나 사우나가서 아예 아침까지 먹고 와서 옷만 갈아입고 나간다. 그렇게 편하게 편하게 살았다. 또 그런 날 이 올 것이다. 딸이 엄마의 생활을 봤으니까. 돌봄은 꼬물이 6살이 되면 끝난다. 곧 할머니 오는 걸 싫어할 거라는 걸 안다. 똘이가 그랬으니까.

돈 벌어서 사고 싶은 것들 이야기, 놀러 갔다 온 이야기, 무엇이든 자랑질하며 돈 안 버는, 집에서 살림만 하며 잔소리까지 곁들이는, 그런 엄마는 인기가 없다.

똘이가 할머니 오지 말라고 울어서 그때부터 안 갔다. 아니 못 갔다. 아침에도 엄마가 일찍 데려다주는 걸 좋아한다.

어릴 때 할머니가 돌보다가 엄마하고 다니니 너무 좋고, 집에 올 때는 엄마랑 맛있는 것도 사 먹고 비싼 장난감도 사주니까…. 여러 이유로 할머니를 원하지 않았다. 그렇게 돌봄이 끝났다. 아마 이번에는 더 일찍 끝날 거라고 믿는다. 할머니보다는 엄마를 좋아하기 때문이다.

병원에 데리고 다닐 때도 할머니를 제일 싫어한다. 아빠나 엄마가 안아주니 좋아한다. 지금도 꼬물이 아프면 사위가 회사에서 잠깐 와서 병원 가고 딸이 반차를 내서 병원에 다닌다. 기운이 떨어지는 나는 꼬물이가 통제가 안 된다. 막무가내를 쓴다. 올봄은 아직 결석 없이 다니고 있다. 딸이 링거주사를 자주 맞게 해준다. 그 덕분에 아프지 않다. 그저 다리만 절뚝거린다. 퇴행성 관절염은 완치가 없다. 연골 주사도 맞고 약도 먹고 물리치료도 받고 무리하게 많이 걷지도 않고 아프면 쉬어준다. 서로 잘 돌봐주면서 같이 살고 있다.

돌봄은 어렵다. 꼬물이가 한번 아프면 한 달은 골골거리며 병원에 다닌다. 꼬물이가 아팠다. 분명 의사가 없어서 수요일과 금요일만 진료를 본다고 딸에게 문자가 왔다고 들었는데도 아이가 계속 기침하니까 혹시나 하는 생각에 가봤다. 진짜였다. 병원은 문이 닫혀 있었다. 아이들은 수시로 아플 수 있는데 주중에 쉬는 병원이 이해가 안 갔다. 그 이튿날 이해가 갔다. 조간신문에서 하루에 소아·청소년과 환자가 10명밖에 안 와서 쉬게 된다는 이야기를 읽었다.

아기가 아는지 병원 문을 닫는 날만 몹시 아프다. 문을 여는 날 가서 약을 미리 타다 놓고 너무 힘들었다. 한 달도 안 돼서 병원은 월요일부터 토요일까지 열었다. 돌봄의 어려움이 싹 사라졌다.

꼬물이는 온몸으로 자기를 표현한다. TV에서 뽀로로와 딩동댕 유치원을 보고 고개를 끄떡끄떡하고 더 신나면 빙빙 돌고 예쁜 짓을 한다. 한바탕 웃기도 하고 자기가 설명도 해준다. 말은 어! 어! 만 하면서, 오늘은 '이것 봐.' '이것 봐.' 하며 TV에 나오는 공룡도 가리킨다. 과자도 잘 먹고 우유도, 과일도 잘 먹는다. 오늘은 나도 좋아서 꼭 안아주었다.

응가를 시작하면 끙끙거리면 쪼그리고 앉았다 섰다. 냄새 풍기고 구석에서 혼자 있다. 그때가 내가 제일 많이 웃는다. 치울 준비 해서 오라면 도망간다. 예뻐서 나도 통사정한다.
"이리 와~. 이리 와~~."

그렇게 귀염을 떤다.

놀이터에서도 저보다 작은애는 때리고 공도 남의 것 갖고 안고 다니다가 큰애가 달라면 안 주고 꼭 안고 있다. 몇 대 맞고도 울지도 않는다. 다른 엄마가 아기가 맞고 있다고 해서 가보니 놀이터 계단 위에서 공을 안고 웅크리고 있다. 큰애는 야단치고 임자 없는 공은 꼬물이가 실컷 갖고 놀다 휙 버린다. 그 공은 이리저리 굴러다니고 있다. 블록 놀이도 큰애들 거를 주워와서 안주고 도망을 다닌다.

온몸으로 표현한다. 임자 주라고 하니 울어서 문방구에서 샀느냐고 물으니, 다이소에서 샀다고 한다. 유모차에 태워서 부천역 길 건너 다이소에 가서 사주었다. 그때부터 매일 다이소에 간다. 오늘은 자동차. 그이 튼 날은 경찰차, 그 이튿날은 고속버스, 그 이튿날은 포크레인, 그다음 사는 자동차는 이름도 모른다. 이제는 자기표현을 할 줄 아니까 나도 꼬물이에게서 공부한다. 너를 잘 키울 수 있는 것은 무엇이 있는가?

열심히 배워서 꼬물이 눈높이에 맞춰서 훌륭한 인재로 키우고 싶다.

똘이의 돌봄도
해냈다

부모가 될 준비도 없이 아기는 부모를 찾아온다. 딸이 처음으로 임신하고 입덧이 나서 배추를 고추장에 찍어 먹으며 '엄마 맛있어' 아삭아삭 배추를 잘 먹는다. 배추 먹고 싶대서 사줬는데 저녁때는 고구마 먹고 싶다고 해서 고구마를 쪄갔다. 웃었다. 나도 그랬으니까.

첫째 똘이를 낳고 부은 살이 안 빠졌다. 거기서 딸은 우울증 증세를 보이더니 좀처럼 낫지를 않아서 내가 얼마나 애간장이 탔던지, 똘이는 엄마 사랑도 못 받았다. 자기 몸도 못 추스르는 딸은 자식 봐줄 힘도 없이 계속 건강이 안 좋았다. 못 견뎌서 몸부림치는 딸을 보는 내 심장은 다 키워서 죽으면 나는 어찌할꼬. 깊은 슬픔이 들었다.

직장에 취직하여 다니기 시작하면서 딸은 차츰 건강해지더니 아침에는 똘이 어린이집 데려다주고 나는 오후에 데리고 오고 그때부터 딸이 편안해졌다.

똘이가 6살이 되어 혼자 데려다주고, 직장가고 퇴근해서 데리고 오고, 7살 코로나 오기 전까지 잘 있었다. 살을 뺀다고 하면서 다이어트약 식단으로 살을 뺐다. 딸아이는 좋아했다. 나도 좋았다. 그런데 그 이듬해에 다시 임신했다. 꼬물이가 태어났다…. 똘이는 9살에 형이 되었다.

80을 바라보며
세 살 외손자 돌봄을 하다

요즘 나에게 즐거움과 고단함이 같이 온다. 말은 거의 못하는 꼬물이와 나는 오전 8시 전에 만난다. 어떤 날은 자고 있을 때도 있지만 내가 갈 때는 거실에서 TV를 보고 있다. 별로 안 반갑게 쳐다본다. 이유는 외할머니가 오시면 엄마가 조금 있다가 없다. 울지도 않는다. 나와 노는 것도 그다지 불편하지 않기 때문이다. 냉장고에서 과일도 꺼내주고 과자도 챙겨주고 우유도 타 주기 때문이다. 화면에서 즐거운 노래가 나온다. 뽀로로, 고고다이노, 슈퍼윙스 까투리도 나온다.

똘이는 8시 35분에 깨워준다. 초등학교 4학년은 일어나기가 힘들다. 무슨 잠이 그때도 오는지 겨우 일어나 화장실 들리고 머리에 뽈이나면 싱크대 물로 머리 꾹꾹 눌러서 가지런히 하고 현관에서 인사 하고 휙 가버린다. 똘이는 대견스럽다.

아침 할 일은 반 했다 9시다 나는 어린이집 데려다줄 준비를 한다. 겉옷을 입히려고 하면 안 입는다고 완강하게 거부한다. 그때는 가방에 넣는다. 오늘은 내복 바람으로 어린이집에 가야 한다.

　TV를 끄고 거실 불을 끄고 나면 꼬물이는 먼저 현관에 나와서 내 신발 두짝을 조그만 손으로 내 앞에 놔준다. 기분이 너무 좋다. 말도 못 하니 어ー어ー한다. 고마워! 고마워! 하며 신발을 신고 현관문을 잠그고 계단을 내려온다. 혼자 난간을 잡고 내려온다. 2층이어도 잘 내려온다. 길 건너 어린이집으로 가다가 직진해 교회 주차장으로 휙 가버린다. 순간 잡으러 간다. 꼬물이는 여러 번 잡혀 온 경험이 있어 힘을 내어 달린다.

　한참 쫓아가서 잡아 와 유모차에 태운다. 울든지 말든지 어린이집에 데려다주고 나면 아침 일은 끝났다. 유모차를 1층 입구에 갖다 놓고 집으로 오면서 나 혼자 중얼거린다.
　"많이 컸구나, 컸어…."
　열흘 전에만 해도 줄 달린 가방을 메고 다녔다. 차가 오면 좋아서 뛰어들려고 하니 어쩔 수 없었다. 그 시간도 어찌어찌 금방 지나고 줄도 안 메고 다니니까 고맙다.

　날이 덥다. 이 나이에 돌봄을 너무 잘한다고 나 혼자 칭찬하면서 집으로 간다. '돌봄은 해야 해! 내가 해야 해!'

꼬물이 잔병치레

놀이터에 딸이나 사위가 데리고 간다. 집에 갈 생각이 없이 즐겁게 논다. 지칠 줄도 모른다. 그렇게 신이 나서 소리를 지르고 만만한 애들은 밀치기도 하고 킥보드 주인 몰래 타다가 꼬마 주인에 얻어터지기도 하고 공도 갖고 뛰고, 나는 앉아서 쉬면서도 꼬물이에게 눈을 뗄 수가 없다. 귀여운 것이 노는 것도 예쁘다.

시간은 금방 지나간다. 사위나 딸이 유모차에 태워서 데리고 간다. 나는 놀이터에서 퇴근하는 날이 점점 많아졌다. 꼬물이는 훌쩍 자랐다. 어느 날 아프기 시작하더니 요즘은 잔병치레를 달고 다닌다. 병원에 자주 다닌다. 병원에 자주 가다 보니 이제는 병원에 가는 길을 알아서 유모차에서 빠져나가려 한다. 그러다 보니 허리 다칠까 데리고 갈 수가 없다. 딸 내외가 병원을 데리고 다니게 되었다.

오늘은 딸이 반차를 냈다. 병원에 갔는데 '구내염'이라 했단다. 어린이집에 못 가고 집에 있어야 한다. 오늘은 목요일이다. 다음 주 월요일이 되어야 완치 진단서 갖고 어린이집 갈 수 있다. 열이 많이 나고 어린 것이 많이 고생하고 있다. 오후에 딸이 출근하면 내가 봐줄 거다. 잘 봐주려고 다짐하며 딸 집에 가고 있다.

　이틀째 병원에 다닌다. 꼬물이 녀석 구내염이라는 확정을 받고 어린이집도 못 가고 집에 있다. 겉은 멀쩡한데 아프니 속상하다. 오후에 딸은 출근하고 나는 꼬물이랑 놀았다. 다행히 과자도 먹고 우유도 먹고 잘 논다. 응가도 잘했고 3시가 넘으니 막 잠투정한다. 데려다 눕히고 토닥토닥 해주니 금방 잠이 든다. 방문을 조금 열어놓고 자주 들여다보았다.

　5시 반에 사위가 와서 집으로 왔다. 내일은 어린이집에 안 가니까 종일 잘 데리고 놀다 와야겠다. 모처럼 아기가 자니 나도 푹 쉬고 왔다. 오늘은 다리가 안 아프다. 날씨가 더워서 에어컨이 종일 돌아간다. 잠깐 꺼봤더니 후덥지근해진다. 꼬물이는 긴팔과 긴바지를 입혀서 재웠다. 여름엔 아기들 체온 유지하기도 어렵다.

비가
주룩주룩 내린다

　초저녁에 한숨 자고 10시에 일어났다. 아직도 주룩주룩 굵은 빗줄기가 쏟아진다. 멈추었던 추억도 떠오른다. 할머니가 되어서도 빗소리는 그때 빗소리다.

　밤비! 밤비는 아련한 추억을 등에 지고 왔다. 이젠 밖에 나가 빗물을 큰 통에다 퍼담고 와야겠다. 자정도 지나간다. 조금 그치면 나가려고 했는데 그냥 퍼붓는다. 우산을 펴고 뒤란에 가 물을 퍼담는데 허리 밑에 다리가 다 젖는다. 발도 물이 많이 적셔졌다. 화분에 꽃들은 다 고개를 숙이고 비를 맞고 있다.

　가로등이 우리 집 처마 끝에 있다. 집이 밝아서 좋다. 화초들은 밤에 잠도 못 잔다. 처음에는 어른들이 캄캄한 밤이라야 곡식이 잘 영근다고 하셨는데 우리 집 화초나 채소들은 자기들이 다 알아서 꽃도 많이 피고 고추도 주렁주렁 많이 열어준다. 고맙다!

아침 돌봄

　장마가 계속되는 토요일이다. 토요일은 딸이 마음이 가벼운 날이다. 오늘 내일은 전화도 하지 않는다. 나의 즐거운 휴일을 방해하지 않으려고….

　어제 금요일은 꼬물이가 주차장을 나가서 인도와 차도 사이에 물이 고여 있다. 그곳을 봐놨다가 외할머니가 현관에서 유모차를 꺼내고 있는 순간 쑥 도망쳐 달려 입수한다. 발목까지 오는 물에 첨벙첨벙! 뒤돌아보니 꼬물이가 없다 예감이 아차! 너! 너! 소리 지르고 나가보니 벌써 뛰어다닌다. 가라앉아 맑았던 물이 흙탕물이 되어 양말과 샌들이 거멓다.

　내가 끄집어내려고 하면 이리 뛰고 저리 뛰고 잡을 수 없다. '여기가 넓었구나' 물속에 들어가서 못 끄집어냈다. 나는 신발이 젖는 것이 싫었다. 어린이집 데려다주고 복지관에 10시 글쓰기 수업이 있어서 오늘은 샌들을 신었다. 며칠 동안은 장마라서 조그만 웅덩이를 지나가려면 장화를 신어야 유모차로 건널 수 있고 아니면 저 위로 올라가서 인도와 차도가 표시된 곳으로 내려서 노상에 차 사이로 나와야 하기 때문이다.

그냥 보고 있었다. 꼬물이는 더 잘 뛰어다닌다. 핸드폰으로 사진을 몇 장 찍고 그래도 안 나와서 동영상까지 찍었다. 꼬물이가 갑자기 나와서 또 뛴다. 자전거 주차 해놓은 곳으로 간다. 주저 없이 페달을 손으로 돌리다가 얼굴도 문지른다. 페달에 묻은 기름이 손에 묻어서 내가 자전거 사이로 들어가서 손을 잡고 끌고 나왔다. 물놀이 때문에 엉덩이까지 다 젖었는데도 아랑곳하지 않고 드러누워서 운다.

대책이 없다. 유모차에서 물휴지 가지고 얼굴과 손을 닦아주고 소리소리 질러서 유모차에 태운다. 어린이집에 데리고 가서 신발을 벗겨 맨발로 선생님께 데리고 간다. 선생님께는 갈아입을 바지하고 신발과 양말을 갖고 오겠다고 하고 바로 건너 딸 집으로 간다. 서둘러 챙겨다 어린이집에 드리고 복지관으로 간다.

아침 돌봄이 끝났다. 오늘따라 아침도 안 먹었다. 배가 고프면 사탕을 먹는다. 홍삼 사탕을 물었다 달콤하다. 복지관에 오니 내가 일등이다. 제일 먼저 딸에게 사진과 동영상을 보낸다. 금방 답이 온다.
"아이고 엄마 죄송해요. 이놈 자식 맨날 사고치고….”
"괜찮아. 너 닮아서 그래"

이제부터 내 시간이다. 아직도 물장구치던 귀여운 외손자
가 아른거린다.

오늘도 계속되는
돌봄의 행복

달라는 대로 먹을 것 챙겨주고 한 시간 동안 놀았으면서도 밖에 나가자고 짜증을 내다가 큰 소리로 운다. 뒹굴면서 안고 달래고 해고 계속 운다. 비가 쏟아지다 그쳤다를 반복했다. 긴 시간을 우니, 이제 내 속이 안 편해서 얼른 업어준다. 나는 업어주는 걸 많이 망설인다. 허리가 아프기 때문이다.

오래 업고 있으면 무릎까지 아프다. 그래도 울면 종종 업어준다. 주차장에라도 나가 바깥 구경을 시켜준다. 오늘도 막 업으려고 하는데 딸이 왔다. 비가 많이 오는지 발을 닦는다.
대뜸 꼬물이를 쏘아보며 말한다.
"안돼! 비와."
꼬물이는 울기 시작한다. 내가 화가 났다.
"네가 계모냐? 왜 자식을 울려?"

꼬물이를 업고 이층을 내려왔다. 비가 퍼붓는다. 우산을 펴들고 주차장에 서 있었다. 우산이 우다닥닥 빗소리를 낸다.

인도까지 몇 걸음을 걸었다. 차가 들락거리는 곳이라 물이 고여있다 우산 빗소리 또 세게 내리는 빗방울도 생긴다. 빗방울이 터지고 생기고를 반복한다.

"꼬물아, 물방울 봐."

땅을 보여주니까. 좋아서 '아! 아!' 하고 소리친다. 예뻐서 둥가 둥가도 해준다.

핸드폰이 징잉 울린다.

"엄마 들어오세요."

"알았다."

집으로 발을 싹 돌리니 눈치챈 꼬물이가 운다. 우산 쓰고 더 놀자고, 이제는 자기가 우산대를 손으로 움켜쥔다. 너무 귀엽다. 신통하게.

딸에게 10분만 더 있다가 들어가겠다고 전화한다. 지나가는 사람들이 우리 모습을 보고 웃으며 지나간다. 10분이 다 되었다. 나는 우산을 접고 비를 맞고 서 있었다.

등에 업힌 꼬물이는 처음 맞는 비다. 그냥 들어가면 또 울 것 같아 꾀를 내었다.

"꼬물아! 차갑지? 들어가자."

꼬물이가 말이 없다. 얼른 우산을 펴고 돌아서 보니 딸이 우산을 들고 보고 있다. 마음이 찡하다. 엄마가 자식하고 비를 맞고 서 있는 모습에 만감이 교차했을 것 같다. 현관까지 가서 꼬물이 안고 이층으로 올라가는 딸이 말한다.

"엄마 고생 많이 하셨어요."

머뭇거리더니 덧붙인다.

"조심히 가세요."

비가 슬쩍 멈춘다. 우산을 접고 천천히 걸어오면서 나의 퇴근 시간을 즐겼다. 집에 도착하는 시간도 10분이 안 된다. 젖은 옷을 갈아입고 흐뭇하게 웃었다. 나는 큰일을 해낸 것 같다. 현관 물놀이 또 우산 쓰고 땅에 물방울도 구경시켜 주고 이렇게 하루는 행복 돌봄을 했다.

소소한 기록

박옥희

작가 이야기

종이를 낭비하거나 세상 사는 사람들이 눈을 어지럽히는 일은 하지 않아야겠다. 만약 내가 쓴 글에 머무는 눈길이 있다면 그들에게 편안한 쉼을 줄 수 있는 글 한 줄이라도 있다면 더 바랄 것이 없겠다.

까치 소리

아침이면 늘 다니던 공원으로 이어지는 길목을 들어섰다. 겨우내 벌거벗었던 벗나무는 화려했던 꽃을 지우고 막 키워낸 연녹색의 신록을 뽐내고 있었다. 멀리서 몇몇 사람들이 모여있는 모습이 눈에 들어왔다.

"무슨 일일까?"

부천에서 가장 걷고 싶은 거리의 하나로 뽑힐 정도로 아름다운 길이다. 그래서 그런지 가끔 신혼 사진 촬영이나 영화 촬영이 이루어지는 곳 이어서 무슨 촬영인가보다 하며 가까이 갔다.

뜻밖에도 까치 한 마리가 나무에서 아래를 내려다보면서 사납게 짖어대고 있었다. 사람들은 그것을 올려다보고 있었던 것이었다. 일 미터쯤 아래에는 뜻밖에 새끼 고양이가 겁을 먹은 듯 어쩔 줄 모르고 나뭇가지에 잔뜩 몸을 웅크리고 엎드려 있었다. 내려오지도 못하고 그렇다고 사납게 짖어대는 까치를 공격하지도 않았다. 지나던 길손들도 높은 나무 위라 아무런 도움이 되지도 못했다.

큰 고양이면 몰라도 새끼 고양이가 왜 그 높이까지 올라갔는지 모르겠다. 하지만 그때 그 까치가 자신의 영역을 지키기 위해 사납게 짖어대던 소리가 오래된 기억처럼 남아있다. 한낱 새일지라도 자신의 영역을 침범당했다고 여기면 다른 동물들과 마찬가지로 가차 없는 행동을 하는 것 같다.

보랏빛 향기

사월이면 보랏빛 향기를 전하는 나무가 있다. 바로 라일락이다. 내가 사는 아파트 화단에도 라일락 한 그루가 있었다. 톱니바퀴처럼 쉴 새 없이 돌아가는 시간의 연속이었지만 사월이면 어김없이 향기로 말을 걸었다.

그 나무는 쳐다보지 않아도 아파트 현관에 발을 딛자마자 사랑스러운 연인들이 뒤에서 포옹하듯 온몸을 감싸며 자신의 존재를 알렸다. 그러나 그 나무는 몇 해 전 베어져 버렸다. 첫사랑처럼 여리디여린 사월도 가버렸다. 1층에서 사는 이들이 햇볕을 가린다는 이유로 민원을 넣었기 때문이다. 그러나 내게 첫사랑은 보랏빛 향기와 사월로 남아있다.

여주를 다녀오다

아침 4시. 눈이 떠졌다. 출발시간은 아직 두 시간이나 남았다. 하지가 지나서인지 밖은 벌써 훤하다. 나는 이렇게 밝아오는 아침을 맞이하는 순간을 하루 중 가장 좋아한다. 갓 결혼했을 때는 저녁 잠잘 시간이 좋다고 말하다가 눈치 없는 남편에게 책 아닌 책을 잡혀 무안을 산 적이 있었다. 그땐 일에 살림살이에 익숙지 않아 시어머니와 시동생들까지 있는 시집살이를 하면서 더욱이 임신한 몸으로 삼시세끼를 혼자 감당하기에는 육체적으로 너무나도 힘겨웠다.

집을 나서기 전, 담근 지 이틀 되는 오이지 물을 끓이며 더운 날씨에 상할 것은 없는지 살림을 대충 살피며 실온에서도 저녁까지 견딜 것들은 그냥 두고 그렇지 못한 것들은 냉장고에 넣었다. 그리고 남편이 아내인 나의 부재에도 종일을 견딜 수 있도록 밥과 반찬을 챙겼다. 오늘은 쌀로 유명한 여주를 동네 운동장 지인들과 다녀오기로 한 날이다.

남편에게 다녀오겠다는 말을 남기고 집을 나섰다. 약속된 장소에 나가자, 지인들은 모두 도착해 있었다. 7시가 되어 출발했다. 여주는 차로 2시간 거리에 있었다. 우리는 11시 반에 다시 이곳에서 모이기로 하고 자유로운 관람을 하였다. 첫 목적지는 신륵사였다. 우리는 공영주차장에 차를 주차하고 들어서자 바로 여주 도예센터가 나타났다. 신륵사는 도예센터를 지나서 입장하게 되어 있었다. 보고 싶은 마음을 누르고 안내판을 따라 조금 지나자, 신륵사 현판이 나타났다. 귀신 神에 굴레 勒을 쓰고 있다.

일주문을 지나 한참을 오르니 이곳에서 유명하다는 은행나무가 나타났다. 나이가 무려 삼백삼십 년이 넘는다고 한다. 그 앞에는 고작해야 백 년을 산다는 사람들이 자신의 소원을 비는 쪽지를 가득 걸어놓고 있다. 자연 앞에 인간은 얼마나 나약한 존재들인가를 깨닫게 되는 순간이다. 이들의 소원이 모두 하늘에 닿았을까 하는 의문을 가지며 은행나무를 지나자, 석탑과 함께 극락보전이란 현판이 쓰인 건물이 나타났다.

신심이 가득한 지인은 신발을 벗고 안으로 들어가 부처님께 인사를 올린다. 뒤로는 나옹스님과 문수보살을 모신 삼성각이 있었다. 돌아서 나오자, 절 앞에는 남한강이 내려다보였고 아름다운 정자가 있었다. 우리는 기념 촬영을 하기에 바빴고 한 스님이 나와 사진밖에 남는 게 없다며 직접 사진을 찍어달라는 관광객들의 요구에 응했다.

강에는 황포돛배가 오르락내리락하고 있었고 시원한 강바람을 맞으며 더위에 지친 우리는 정자에 올라 잠시 쉬면서 사진을 찍기도 하였다. 주차장으로 돌아가는 길에 우리는 도예박물관을 둘러보았다. 온통 플라스틱으로 둘러싸인 세상에서 흙으로 빚어진 자기 품을 감상하는 일은 또한 자연으로 돌아가는 일이어서 마음에 평안을 얻을 수 있다. 깨절구를 하나 갖고 싶었지만, 여태껏 하던 대로 그때그때 손가락으로 부수면 될 일이라 나는 사지 않았다. 죽음을 앞두고 이 또한 쓸데없는 물욕 같았기 때문이다.

약속한 시각이 되어 주차장에 도착하였다. 조금은 이른 시각이지만 공연이 열리는 듯한 공연장에 자리를 깔고 이삼 인씩 옹기종기 모여 곧 점심 식사가 시작되었다. 점심은 주최 측에서 해온 밥과 김치다. 반찬은 각자가 조금씩 싸 오기로 하였기 때문에, 그다지 불편함이 없이 식사를 마칠 수 있다.

점심 식사 후 우리는 세종대왕 능으로 향했다. 인근 지역이라 곧 목적지에 닿았다. 세 시 반에 다시 모이기로 하고 우리는 곧 탐방에 나섰다. 맨 먼저 나타난 곳이 박물관이었다. 박물관은 세종대왕의 업적이 영상물과 함께 알기 쉽도록 잘 정리되어 있었다. 장례 절차에 대해서도 그림을 곁들여 자세하게 나와, 그 당시 상을 당하면 왜 삼년상을 치르게 대는

지 처음으로 알게 되었다.

박물관을 나와 세종대왕릉으로 가려고 하자 시간이 너무 촉박하였다. 박물관에서 너무 시간을 지체해 정작 가기로 한 세종대왕 능은 시간이 없다. 하지만 여기까지 와서 가보지 않을 수는 없었다. 마침 인솔자를 만나 능까지 갔다가 다녀오겠다는 허락을 받고 능에 올랐다. 그로 인해 일정이 삼십여 분 지체 되고 일행들에게 욕을 지청구로 먹었지만, 우리나라뿐 아니라 세계가 추앙해 마지않은 세종대왕 능을 참배하지 않고 어찌 발길을 돌릴 수 있으랴!

다음의 목적지는 차로 오 분 거리에 있는 여주보. 이번 여행계획에는 없었지만, 운전기사분의 서비스 차원의 안내였다. 4대 강 보 설치는 이명박 전 대통령의 작품이라고 한다. 그중 하나가 이 남한강의 보라는 것이다. 그 당시 환경보호가는 이끼가 끼고 생태계를 망친다고 했지만, 생태계를 망치기는커녕 가뭄과 홍수에 안전하게 관리하여 지역의 쌀농사에 크게 이바지하고 있다며 자전거로 국토여행을 한 적이 있다는 그분이 열변을 토했다. 진실은 금방 드러나기 어려운 것도 있어 사람들은 가끔 설왕설래 하기도 한다.

마지막으로 향한 곳은 명성황후의 생가가 있는 곳이었다. 집안이 번다하지 않다는 이유로 황후로 간택되었다고 알고 있었다. 그런데 이런 나의 생각과는 달리 규모 면에서도 그렇고 여느 양반집과 큰 차이는 없어 보였다. 여기도 박물관이 있어 황후의 어린 시절과 친필을 접할 수가 있었다. 그러나 내가 보기에 썩 잘 쓴 글씨는 아니었다.

오늘 여행은 비교적 짧은 시간에 여주의 이모저모를 살펴볼 수 있는 알찬 여행이었다. 저녁 여섯 시 반, 집에 돌아오니 남편이 반기고 또 다른 안식에 하루의 피로감은 저만큼 달아나 새롭다. 평소에는 맑은 공기와 맑은 물이 주는 행복감을 잘 모르거나 잊고 살 듯 가정의 행복도 이와 같다. 집을 떠나야 가정이 보인다. 사람들은 이런 맛으로 여행을 하나 보다. 기다려 준 남편이 있어 고맙다.

장마

일주일 후면 장마가 시작된다고 하는 보도. 장마가 시작되기 전 주부들은 할 일이 많다. 미루던 김치나 오이지도 담가 익혀 놓아야 하고 일 년 먹을 소금도 이때는 반드시 준비해야 한다. 이왕이면 반찬을 하거나 비 오는 날 쪄 먹을 감자도 미리 준비하면 좋다.

연이틀 비가 종일 오락가락한다. 드디어 장마가 시작되었다. 어느 때는 기후환경의 변화로 갑자기 소나기처럼 한 지역만 집중적으로 퍼붓기도 한다. 날씨가 꿉꿉하고 해는 열심히 열을 발산하지만 구름에 가리어져 습도가 높다. 올해는 장마가 여니 때보다 일찍 시작되었다고 한다.

따라서 주부들은 각종 음식물이나 부엌 살림살이에 각별한 신경을 써야 한다. 집안 곳곳이 빗물이 스며드는 곳은 없는지, 간장 항아리, 고추장 항아리도 특별히 보살펴야 하고 냉장고 안 정리도 게을리하지 말아야 한다. 왜냐하면 각종 곰

팡이가 이때 가장 득시글거리기 때문이다.

만약에 노약자들이 있는 가정이라면 피부병도 신경 써야 할 일이다. 고온다습한 날씨의 영향으로 땀띠가 성할지도 모르기 때문에 피부를 잘 건조하고 땀띠 분을 발라두는 등 주의를 기울여야겠다.

신록을 자랑하던 잎들은 검푸르게 변하고 꽃 피운 것들은 비바람에 간신히 건진 작은 결실 하나 잎 사이로 숨겨 몰래 몰래 살찌우기 바쁘다. 아이들도 이때 쑥쑥 자란다. 장마철이 때론 물난리를 일으키면서 무덥고 꿉꿉하다 할지라도 우리가 슬기롭게 겪어내어야만 할 일이다.

영화제

　부천은 유네스코 문학창의도시 중 하나로 해마다 영화제가 열린다. 이름하여 '판타스틱 영화제'

　내가 상동에서 살고 있을 때였다. 마침 복사골 문화센터 인근의 한 아파트 단지에서 살고 있어 개막식이나 폐회식을 할 때는 영화에서나 만나던 많은 유명한 배우를 볼 수 있었다. 하지만 영화는 제대로 볼 수는 없었다. 국제적으로 여기저기에서 출품해 온 작품들이어서 공감대가 제대로 이루어지지 않았다. 또 다른 한편으로는 어떤 영화가 제대로 된 영화인지 아닌지 전혀 배경지식을 접하는 일이 없었기 때문이기도 하다.

　나는 영화를 많이 좋아하는 편이어서 이 기간에 복사골문화센터 극장에서 상영하는 영화 한 편을 본 적이 있지만, 그 영화는 독립영화처럼 너무도 실험적이어서 공감대가 전혀 이루어지지 않았다. 시간과 관람비가 아깝다는 생각뿐이었다.

그다음 해에는 서울 사는 친구가 부천 영화제 소식을 듣고 찾아왔지만, 함께 무엇을 관람했는지 전혀 기억에 없다.

올해에도 영화제가 열린다고 했다. 나는 유튜브로 본 영화지만 시청 가까이 사는 지인이 우리 영화 '미나리'를 보려 했다. 그러나 시간이 맞지 않아 실패했다. 영화제는 대개 보름을 두고 열렸지만, 그냥 어영부영 지나갔다. 도무지 어디서 무슨 영화를 어떻게 상영되는지 프로그램은 있어도 전혀 머릿속에 들어오지 않는다. 주최 측은 좀 고려해 볼 만한 일이 아닌가 한다.

달콤한

이 말에는 빠져나갈 수 없는 유혹이 깃들여 있다. 바나나의 달콤한 맛이나, 사랑에 빠졌을 때의 그 달콤한 기분에 어찌 잊을 수가 있다는 말인가. 특히 아이들은 달콤한 맛을 좋아한다. 통제가 이루어지지 않으면 이빨이 썩어나는 줄도 모른다. 어렸을 때 내 사진 중 하나는 썩어 꺼멓게 된 이빨을 드러내며 찍은 사진이 하나 있다.

나이가 드니 달콤한 맛은 경계하게 된다. 무서운 혈관질환을 일으키는 당뇨의 원인이 되기 때문이다. '좋은 약은 입에 쓰다'라고 했다. 달콤한 맛의 유혹은 그 도가 지나치면 안 된다.

6.25 73돌에

참전 용사들이 참전 용사 복을 새롭게 전달받는 뉴스를 접했다. 육이오 전란은 3년이나 끌었다. 그 참혹했던 전란에 오로지 나라를 위해 어린 나이에 목숨을 바치거나 목숨을 건 용사들의 어려운 소식을 접할 때면 세월호 희생자들이나 이태원 참사자들보다 상대적으로 못 한 대우를 받는 게 아닌가 하여 그동안 안타까운 마음 금할 수가 없었다.

우리가 제1연평해전에서 남편을 잃은 한 미망인의 절규는 쉽게 어찌 쉽게 잊힐까. 국가를 위해 남편은 목숨을 바쳤지만, 그때의 정권은 이를 인정하지 않았고 그 미망인은 극도의 실의에 미국으로 이민을 결정했기 때문이다. 나 역시 군에 보내야 했던 내 아들만 3년을 나라 같지도 않은 나라에 공연히 빼앗긴 것 같아 억울했다. 너무도 억울하고 분해서 할 수 있다면 군을 모두 해체하고 싶었다. 이러한 나라를 믿고 살아가는 국민으로서 살아야 하는 실망감이나 공분은 시간이 지나도 도저히 잊히지 않는다.

내가 오죽하면 군에 가는 이들을 모두 뜯어말리고 싶은 심정이었을까. 국가를 위해 단 하나인 자신의 목숨을 걸었던 그분들은 세월호 유족들이나 이태원 참사자들의 유족들처럼 그렇게 희생당했다고 요란하게 자신의 목소리를 내지 않았다. 이날이 지나면 저들은 또 목소리를 내며 분명히 사회를 어지럽힐 것이다. 그러나 이들은 상대적으로 크게 부당한 대우를 받고 있어도 자신들의 처우 개선에는 침묵해 왔다. 지금이라도 그분들을 한 분 한 분 찾아 국가가 할 수 있는 최고의 예우하는 것은 마땅하다. 분명한 것은 이들을 세월호 유족이나 이태원 참사자들의 유족들보다 먼저 예우하는 것이다.

심취했다

주어진 단어를 두고 먼저 내가 살면서 어디 어디에 심취했던 적이 있었던가 하고 생각해 본다. 불행히도 오랜 기간을 두고 심취해 있었던 순간은 없었던 것 같다. 굳이 변명하자면 심취해 있다는 말은 욕망에 사로잡혀 있다는 말과도 일맥상통한다고도 할 수 있기 때문이다. 단 매 순간 나는 열심히 살자는 좌우명을 가지고 살아왔다. 이는 오래전에 읽었던 '백경'의 에이허브라는 주인공보다는 이스밀처럼 삶을 관조하면서 살고 싶었기 때문이다.

심취했다는 말은 좋은 단어이다. 우리가 어떤 일을 할 때 그 추진력이 되기 때문이다. 그리고 이 단어에는 긍정적인 면과 부정적인 면이 있다. 심취할 만한 가치가 있는 것이 있고 그렇지 못한 일에 심취하는 일도 있다는 것이다.

만약에 우리가 심취할 만한 가치가 있는 것에 심취한다면 많은 발전을 이룰 수도 있다. 그러나 그 반대로 우리가 그럴 만한 가치가 없는 자기 심취에 빠진다면 자기 몰락이나 파멸에 이를 것이다. 그렇다면 심취할 만한 가치가 있는 일은 어떤 것들이 있을까.

학업이나 건전한 자기의 꿈을 이루기 위해 심취하고 노력할 수 있다면 얼마나 좋을까 하고 생각해 본다. 새로운 것을 배우고 도전하는 과정은 고통이 따르기도 하고 많은 시행착오가 따를 수도 있다. 그러나 그 결과는 우리 자신의 한계를 극복하고 보다 강해진 자신을 만날 것이다.

물론 우리는 위와 반대의 경우도 생각해 볼 수 있다. 요즘 사회적으로는 한창 마약과의 전쟁을 치르고 있다. 마약에 심취된 사회, 정말 생각만 해도 아찔하다. 더욱이 한창 학업에 열중해야 할 청소년들에게까지 살이 빠진다, 정신 집중이 잘 된다 등등…. 이러저러한 이유로 파고든다고 한다.

이는 참으로 끔찍한 결과를 초래할 수 있어 놀라움을 금치 못하겠다. 지난 핼러윈날에 일어난 이태원 참사도 그런 잘못된 심취의 결과의 하나가 아닌가 한다. 그렇지 않고서야 어떻게 대낮, 아무리 좁아터진 골목이라 할지라도 그것도 길거리에서 어떻게 그런 대형참사가 일어날 수 있는지 도무지 이해되지 않는 사건이다. 그것을 항의하는 부모는 더욱 이해되지 않는다.

어쨌든 긍정적인 방향으로 심취해 볼 만한 일이다. 남녀노
소에 관계 없이 긍정적인 심취가 있다면 사회는 올바른 방향
으로 나아가고 우리의 앞날은 밝을 것이다. 아무튼 긍정적 심
취가 늘어나는 사회가 되기를 바란다.

후회했다

인생은 흔히 b와 d 사이의 c라고 한다. b는 birth, 즉 탄생이고 d는 death, c는 choice 선택이다. 태어나서 죽을 때까지 늘 이것이냐 저것이냐를 선택해야 하는 것이 우리네 삶일 것이다.

그리고 선택하고 나면 선택하지 않았던 것을 택했다면 어떤 일이 벌어졌을까 하고 '두 갈래 길'의 프로스트처럼 생각해 보기도 한다. 그러나 무슨 소용이 있을까? 어차피 인생이란 예행연습이 없는 연극 무대인 것을, 쓸데없이 에너지만 소비될 뿐이다. 그렇다면 치명적인 실수를 하고 후회하기보다는 이 또한 인생의 한 부분이라고 받아들이는 태도가 중요하다 하겠다.

AI 글쓰기

AI가 글을 쓰고 그림을 그려 당당히 대상을 탔다는 이야기를 종종 뉴스로 접하곤 했다. 그리곤 아직은 내 생활과는 거리가 멀다고 생각했다. 그런데 AI 글쓰기가 갑자기 내 생활에 훅 들어왔다.

내가 쓰고 있는 핸드폰으로도 가능한 일이었다. 뤼튼을 깔고 나면 아주 간단히 쓸 수 있었다. 몇 가지 제시어를 쓰면 시도 척척 지어준다. 쓰지 않고 말만 해도 된다. 말하자면 글을 몰라도 사용이 되는 일이었다. 새로운 세상이 눈앞에서 펼쳐지는 신기한 경험이다.

한편 우려가 되기도 한다. 처음 인터넷이 사용되기 시작했을 때와 같은 부작용이다. 아이들이 과제물을 인터넷에서 따온다면 어떻게 할 것인가 하는 것이다. 지금 나만 해도 글쓰기 과제를 머리로, 가슴으로 쓰려하지 않고 인공지능을 사용하고 싶은 유혹이 앞서는 심정이기 때문이다.

며칠 전에는 두 작가가 인공지능을 상대로 소송을 제기했다는 소식을 들었다. 즉 AI가 자기 글을 도용했기 때문이라고 했다. 영화에서나 보던 AI와 인간의 싸움을 접하는 것 같다. 강사님에게 질문을 했더니 AI는 어차피 인간의 한계에 미치지 못한다며 대답을 대신한다.

그때는, 그랬다

그때는 초등학교를 '국민학교'라고 했다. 1996년 초등학교가 초등학교로 바뀌었다. 말하자면 나는 국딩 세대인 셈이다. 지금과 같이 6년의 과정을 거치는 과정이지만 일제강점기에 쓰던 말을 그대로 쓴다고 하여 초등학교로 바뀐 것으로 알고 있다. 학생 수도 지금과는 다르게 한 반에 6~70명이 예사였다. 그때는 지금에는 없어진 지 오래인 회초리가 칠판한 모퉁이에 걸려있었고 선생님의 그림자도 밟지 않는다는 말이 있어 선생님의 지위는 대단하였다. 그러나 지금은 고작 30명 안팎이라고 들었지만, 선생님들의 고충은 나 때의 고충과는 비교가 되지 않을 정도로 심하다는 말을 들었다.

집에서 학교까지의 거리도 만만치 않았다. 대개 논밭을 지나고 산등성이를 하나 넘어서야 학교에 도착할 수 있었지만, 눈이 오나 비가 오나 결석이나 지각하는 일은 없었다. 아침 등교 전에 여름에는 소 꼴을 한 짐 부리야 하거나 겨울철이면 나무를 한 짐 하고서야 학교에 갈 수 있었던 동급생들도 허다하였다. 그러나 부모님께서 학교에 가지 말라고 할까, 걱정하는 반 친구들이 있을 정도였다. 그만큼 시골에서는 일손이 달려 자식들의 조막손까지 빌려야 했기 때문이다.

그때는 공기도 참 맑았다. 맑은 공기와 푸른 하늘이 우리의 자랑이기도 했다. 그런데 지금은 마스크가 필요할 정도로 미세먼지와 황사로 맑은 날이 드물 정도이다. 멋쟁이들에게는 하나의 패션이 되어 그날그날 쓰고 다니는 마스크와 옷차림을 같이 맞춘다고 하니 가히 씁쓸해진다. 지금은 그때와 달리 먹을 것, 입을 것이 풍족해졌지만 그때가 많이 그리워지는 순간이 문득문득 찾아와 추억에 젖기도 한다.

말할 수가 없었다

학교에 다닐 때였다. 내 짝꿍이 앞에 앉은 친구의 등에다 '~는 ~를 좋아한다'라는 쪽지를 붙였다. 그 쪽지를 본 순간 나는 웃음을 참을 수가 없었다. 우리에게 등을 대고 판서를 하고 계시던 선생님께서 돌아선 순간 내가 눈이 마주친 것이다. 뭔가 이상한 낌새에 나의 이름을 부르셨다.

내가 어쩔 줄을 모르자, 내가 있는 자리까지 오셨다. 누가 이런 장난을 했느냐고 물으셨다. 그러나 나는 내 짝꿍이 그랬다고는 대답할 수가 없었다. 왜 그랬는지는 아직 모르겠다. 짝꿍에 대한 의리인지 아니면 웃고 넘어갈 십 대 시절의 단순한 장난인지. 그 결과 나는 그 수업이 끝날 때까지 복도에서 벌을 섰다.

그때는 이런 장난이 심해서 눈치를 채지 못한 친구는 종일 그런 쪽지를 달고 다니며 큰 웃음을 선사하기도 했다.

아마도, 했을지도 모르겠다

장마철이어서 그런지 연일 비가 내리고 있다. 이런 날이면 꿀꿀한 기분을 떨쳐버릴 수가 없다. 많은 양의 비가 집중적으로 한 지역을 강타하고 나면 그 지역은 물난리가 나고 산사태가 나고 재산 피해에 인명피해가 일어난다.

춘의역에 가고 있을 때였다. 갑자기 불어난 물에 하수구가 넘치고 길바닥은 물바다가 되었다. 소방대원들과 경찰들이 막힌 하수구를 뚫어내고 있고 겁에 질린 시민들은 황급히 길을 건너고 있었다. 예로부터 치산치수는 군주가 반드시 해야 할 일 중에 중요한 일이었다. 비가 많이 올 때 빗물을 가두어 댐을 설치하고 가뭄에 대비하는 지혜도 생겨났다.

적당히 우리가 필요한 만큼의 비만 내렸으면 얼마나 좋을까 하고 생각해 본다. 시련이 없는 삶은 누구나가 동경하는 삶이다. 그러나 이렇게 궂은날들이 아마도 우리네 인생사를 더욱 풍요롭게 하는지도 모르겠다.

지난 13일부터 나흘째 쏟아진 폭우로 전국 각지에서 산사
태, 지하차도 침수 등이 잇따르면서 사망·실종자가 45명에
달했다. 신혼 2개월째인 30대 초등교사부터 휴일에도 일을
하러 집을 나서던 70대 여성까지 안타까운 사연도 잇따랐다.
만약에 장마철이 없다면 어떤 일이 벌어질까?

나에게 책 쓰기란

그동안 책을 쓴다는 일은 나와는 평생 무관할 것이라는 생각을 해왔다고 해도 과언이 아니다. 왜냐하면, 책 쓰기는 무언가 뛰어난 사람이 하는 것으로만 알아 왔기 때문에 지극히 평범한 삶을 살아온 내가 무언가를 기록하고 책으로 남길 것이 있다고는 생각하지 못했다.

그런데 책 쓰기가 당장 눈앞의 나의 일이 되었다. 길가에 피어있는 이름 모를 꽃이라고 하여 이름이 없는 꽃이 아니듯 책 쓰기는 남과는 다른, 오로지 진솔하게 나의 목소리를 내는 일일 것이다.

아내가 된다는 건

누구나 그렇듯 학교의 모든 과정을 통해 우리는 사람 됨을 배운다. 마찬가지로 나는 아내가 되는 것이 무엇인지도 모르고 결혼 적령기가 되어 등 떠밀리듯 나는 한 남자의 아내가 되었다. 대학에 다닐 무렵 교직에 계시던 아버지가 병석에 누우셨고 엄마는 여섯이나 되는 자식들을 아버지 살아생전에 하나도 여의지 못한 것을 한탄하셨기 때문이다.

그 당시 이웃의 소개를 지금의 남편을 만났고 나는 결혼을 하게 되었다. 결혼하고 아내가 되고 보니 숨 돌릴 틈도 없이 인간 박옥희는 사라지고 며느리의 길, 형수의 길, 그리고 새언니의 길이 동시에 열려 나를 어리둥절하게 했다. 더욱더 당황스러운 것은 달콤하다는 신혼생활도 없이 내가 엄마가 되었다는 사실이었다. 모든 일이 휘모리장단으로 다가왔다.

임신 과정으로 아이가 어떻게 자라는가 하는 것은 알았지만 여자의 생리적인 현상이나 산모로서의 심리상태에 대해서는 전혀 모른 채 아이를 가지게 되어 당황스러웠다. 뚜렷하게 어디가 아프다고 할 수 없이 몸은 나른하고 졸음이 쏟아졌다. 그렇다고 금방 시집을 온 새색시가 자리에 누워 지낸다는 것은 자존심이 도저히 허락하지 않았고 게다가 눈치가 보였기 때문이었다. 따라서 임신 초기의 나른함과 졸리는 신체적 특성을 몰라 나는 너무도 힘든 시간을 보내야 했다. 나는 병원을 찾기도 하였다. 설상가상으로 당시 남편까지 직장을 그만두고 쉬고 있었다.

배가 불러오는 과정은 또 어떠한가. 똥배인가 했다가 차츰 아이의 발길질을 느끼게 되고 280여 일이 가까워지고 산통이라는 경험을 하게 되었다. 산통 역시 처음으로 당하는 일이어서 갈팡질팡 어찌할 줄 몰랐다. 가늘디가는 허리로 어떻게 아이를 낳을지 모르겠다고 주위에서 쑥덕거림이 있었지만, 산달이 가까워진 어느 날이었다.

자정 무렵 배가 금방이라도 찢어질 것같이 아프다고 하자 남편 역시 당황하였다. 그 당시에는 통행금지가 있었다. 말하자면 자정이 넘으면 통행을 금지하는 시대였다. 이웃집에 사정 이야기를 하고 그 집의 영업용 삼륜차를 가까스로 빌려 타고 우여곡절 끝에 온수에서 한강을 건너 마포에 있는 병원에 도착했다.

그런데 병원에선 아이가 나오려면 아직 멀었다고 하여 날이 밝으면 집으로 돌아가라고 하였다. 보내면서 의사가 하는 말이 정확히 기억은 나지 않지만 대충 이 삼 분 간격으로 진통이 오면 다시 오라고 하였다. 우리 내외는 할 수 없이 집으로 돌아와야만 했다-이 일로 시어머니와 시동생, 시누이는 첫 아이의 아명을 '유별'이라고 지어놓고 있었다.

다음 날 새벽같이 다시 찾은 병원에서 11시 40분경 나의 첫 아이가 태어났다. 3.8kg의 건강한 여자아이였다. 나중에야 안 일이지만 초산은 대개 진통이 오래간다는 것을 알았다. 나의 첫 아이는 이렇게 진통이 시작된 지 무려 48시간이 지나서 나온 셈이다. 그런데 둘째 때는 달랐다. 진통 시간도 훨씬 짧아졌고 진통도 그만큼 가볍게 치렀다.

서울시 구로구 온수동에서 우리가 살던 집이 7호선이 들어서는 바람에 헐리게 되고 이곳 부천으로 이사를 오게 되었다. 40여 년 전의 일이다. 그동안 시동생, 시누이도 짝을 찾아 나가고 시어머님은 유명을 달리하셨다. 우리의 아이들도 어느덧 장성해 제 짝을 찾아 독립된 생활을 하고 있다. 식구들이 그 많던 둥지에 이제 우리 두 부부만 흰 백발을 마주하며 남았다. 그럼에도 제사를 통해 나는 여전히 며느리이고 형수이고 새언니로 사는 삶을 이어가고 있다.

살아있는 모든 날은 새날의 연속이다. 지금껏 그래왔던 것처럼 정신없이 휘몰아치는 폭풍을 만나기도 하겠고 파아란 하늘에 뭉게구름이 한가롭게 떠다니는 날도 있을 것이다. 아무튼 이전에 살아보지도, 경험해 보지도 못한 새날을, 새길을 걸어간다. 때로는 비틀거리며 우여곡절을 겪는다고 할지라도 멈추지 않고 내가 선택한 이 길에서 마지막 남은 아내의 길을 묵묵히 걸어갈 것이다.

갱죽

한겨울이면
엄마가 끓여 주던 갱죽

입천장 델 것처럼 뜨거워
우리 남매 여섯 입 오므려
호호 불어 삼키면 꽃은 피고

추위는 저만큼 달아나
해지는 줄 모르고
얼음지치기에 신이 났었다.

추운 겨울이면 어렸을 때 어머니가 뜨끈하게 끓여 주던 갱죽 맛이 생각난다. 죽을 싫어하는 남편은 '무슨 꿀꿀이 죽이냐?'며 손도 대지 않는다. 하지만 나에게 있어 갱죽 맛은 내 어머니를 생각나게 하고 그 시절의 모든 순간이 생각나게 한다. 갱죽은 김칫국에 밥을 넣어 끓인 김치죽이라고도 할 수 있겠다.

아침

간밤 다리가 저리고
늙어가는 일로
통증에 시달리다가도
새벽 서너 시면
눈이 떠지는 일이 신기하다.

어둠이 물러나고 햇살에
온갖 것들이 그 형체를 드러내며 깨어나
수런수런 목소리를 내는 아침은
늘 아이 같아 늙지도 않는다

덩달아 나도 다시 기운을 차리고
가방을 챙겨 바로
이웃한 수영장을 향한다.

씨름 아닌 씨름으로
한 시간가량 물과의 대화를 마치면
그제야 식구는 눈을 뜬다.

함께 식사하며 위를 깨우고
그날 일과를 생각하는 일은
누군가가 그토록 살고 싶어 하는 오늘
오늘을 감사하며 살아낼 일이다.

배우자

배우자는
내게
지팡이입니다.

우리는
서로에게
지팡이가 됩니다.

지팡이가 있는 곳은
봄철
어여쁜 새싹들이 다투어 자라나고
늘 향기로운 꽃들이 만발하고
종달새 같은 생명들이 자라나
하늘 높이 날아오릅니다.

지팡이가 있는 곳은
뜨락이 되고
늘 향기로운 꽃들이 만발합니다.
시들지 않는 꽃들입니다.

배우자는
내게
요술 지팡이입니다.

꿈

'흔히 꿈이 있어야 한다고 한다.'
꿈은 나침판으로 삶의 방향을 제시한다. 나침판이 없다면
하늘길이나 바닷길에서 우리는 얼마나 당황할 것인가.
특히 캄캄한 밤중을 걷고 있다면 더욱 그럴 것이다.
이 말은 내가 누군가의 선생이었을 때
자주 하던 말이기도 하다.

그런데 지금의 나에게도 꿈이 있을까 생각해 본다.

아이들이 잘살기를 바라고
가족 모두가 건강하기를 바라고
환경 재해로 엄청난 몸살을 앓고 있는 지구가
좀 편안해지기를 바라고
우크라이나와 러시아가 전쟁을 멈추길 바라고
휴전으로 전쟁을 멈추고 있는
남한과 북한이 서로의 힘을 겨루는 일 없이
평화롭게 공존하는 일이다. 하지만 제일은
우리 부부가 생을 다하는 날까지 비에 젖는 일 없이
자연 연소하는 일이다.

내가 바라는 일이 많다면
분명 해야 할 일도 많다는 뜻이다.
게으름을 부리지 말고 지금의 위치에서
열심히 나의 남은 생을 살아야겠다.

빛이 났다

빛이 난다.
세상의 모든 희망은
너의 미소가
밤하늘 별처럼 반짝이듯

어둠을 가르는
한줄기 불빛
너와 함께하는 이 길은
춥지도 외롭지도 않아

항상 기억하렴
세상이 널 향해
웃음 짓고 있다는걸

오늘 더 활짝 핀 나

늘 지나다니는 길
눈에 띄는 간판 하나
'스무 살에 머물다.'
핑크빛이다.

시를 짓고 책을 쓰며
나는 아직도
핑크빛 스무 살
새날 새길을 걷고 있다.

맨발로 향하는 자유의 노래

박은실

작가 이야기

일흔이 되니 마음이 조급해졌다. 젊은 날 힘차게 뛰어다니며, 성공에 목매어 살던 시절이 있었다. 지금은 하루하루 지나가는 것이 너무나도 소중하게 느껴진다. 편안하고 자유롭게 내 삶을 즐기니 참 좋다.

ODB(Our Daily Bread)로 아침을 열고 블로그를 작성한다. 새벽에 성주산 에어로빅을 한 후에 산길을 걷는다. 매일 낯선 일과 마주하려고 애쓴다.

여행을 좋아한다. 산티아고 순례길을 가려고 준비 중이다. 2024년 4월 15일 출발 예정이다. 칠십 평생을 되돌아보고 앞으로 남은 인생을 어떻게 잘 살아야 할까? 을 생각하면서 약 두 달간 다녀올 것이다.

노년을 잘 보내기 위해 글쓰기를 시작했다. 결국 내 삶에서 끝까지 할 수 있는 일은 글을 맛깔나게 쓰는 것이다. 여생을 잘 살아낸다는 것의 표현이기도 하다. 글쓰기는 내 삶을 고스란히 드러내는 맑은 호수다.

글을 통해 나를 발견하고 세상과 소통하며 좀 더 나은 세상을 향해 나가려는 몸부림이기에 절실하다.

배우는 것을 좋아해서 오카리나, 줌바댄스, 요가를 배운다. 내년부터는 블로그를 공개하고 유튜브도 시작할 생각이다. 요리하는 것은 잘 못 하지만 닭도리탕은 자신 있다. 아, 카페라테와 샌드위치 만드는 것은 잘한다.

두 딸이 있는데 큰딸은 미국 샌프란시스코에 산다. 프랑스인과 결혼해서 아들과 딸을 낳았다. 덕분에 해외여행은 실컷 했다. 작은딸은 국내에 살면서 자기가 원하는 직업을 갖고 행복하게 생활한다. 딸 한 명만 낳은 것이 못내 아쉽지만, 한국에서 자녀 키우기는 정말로 힘들다는 것을 잘 알기에 이해한다. 작은 사위가 아들처럼 잘 해줘서 아쉬울 때마다 물어본다.

늦깎이 공부로 대기만성형 인간이 되었다. 덕분에 지금까지 일하고 있다. 올해로 50년의 교단생활을 끝맺음하려고 한다. 50년간의 수많은 가르침은 내 삶에 커다란 변화를 가져왔다. 이제는 회상(回想)을 통한 교단 수기를 적어보고 싶다. 앞으로 스스로 디자인하는 삶이 무척 기대된다.

장마철에 시작한
맨발 걷기 도전

장마가 시작되었다. 종일 비가 주룩주룩 내렸다. 하늘이 뻥 뚫린 것일까? 쏟아지는 빗줄기 속에서 나무와 꽃들이 좋아하다가 지쳤을 것 같다. 성주산의 도랑물은 졸졸 흐르다가 콸콸 경쾌한 소리를 내며 온 산을 뒤흔들 판이다.

맨발 걷기 이틀째 되는 날이다. 엊저녁부터 새벽까지 또 비가 내린다. 6시 에어로빅 가려고 나선다. 우산을 가져갈까? 일기예보에는 6시부터 흐림으로 비 님은 보이지 않지만, 는개와 안개비가 오락가락한다. 일단 밖으로 나선다. 여느 때 같으면 환했을 바깥이 여전히 어둑어둑하다.

맨발 걷기 100일간 진행한 후에 내 몸 상태를 검사해 보고 싶다. 현재 매일 아침 몸무게를 재는데 0.5~1kg 사이를 왔다 갔다 하며 나타나고 있다. 일단 1kg 이상 오르면 신경이 쓰인다. 역시가 체중은 운동도 중요하지만 먹는 양과 비례하는 것을 실감한다. 그날 하루를 잘 먹은 날은 다음 날 쟀을 때 상승하였다. 그렇다고 맛있는 음식을 먹을 기회를 놓칠 수는 없어 '지금 맛있게 먹고 내일부터 좀 덜 먹지 뭐'하는 생각으로 먹다 보면 어느새 몸은 불어나 있다.

장마철에도 운동을 할 수 있다는 것에 감사한다. 맨발 걷기를 시작했으니 덥거나 장마로 비가 억수같이 내리더라도 난 그날의 맨발 걷기는 꼭 실천하려고 굳게 다짐해 본다.

영화제

김영하 작가의 강연을 보기 위해 전철을 탔다. 장소는 부천아트센터였다. 부천의 명소로 알려진 곳이기에 들뜬 마음으로 부천시청역으로 향했다. 도착했을 때 눈이 휘둥그레졌다. 오랜만에 시청을 들어가는데 파리의 루브르박물관에서 본 듯한 세모 모양의 유리 조형에 놀랐다. 시청 앞문에는 부천영화제에 관한 내용으로 가득 차 있었다.

27회 부천국제판타스틱영화제가 열리는 기간이었다. 난 그저 대충 알고 관심도 없었는데 정작 시청에 들어서니 온통 축제 분위기로 가득했다. 시청은 푸른 초원처럼 꾸며져 있었고 시청 앞 광장에는 영화제를 위한 둥근 아치가 세워져 있었고 커다란 스크린이 설치되어 있었다.

부천에서 해마다 열리는 영화제에 부천시민으로서 참으로 관심이 없었다는 것에 마음에 찔림이 왔다. 영화를 별로 좋아하지 않아서일까? 앞으로는 부천국제영화제에 관심을 두고

그 기간에 한 편의 영화라도 그곳에서 보면서 함께 공감할
수 있는 시간을 가져야겠다고 생각했다.

달콤한

    세상은 달콤함으로 가득 차 있다. 아침에 눈 뜨면 신나고 재미있는 일을 위해 분주하게 집을 나선다. 에어로빅하는 그 시간이 얼마나 달콤한 맛있는 시간인가? 끝난 후에 시원한 물 한 잔은 그야말로 달콤함의 극치인 온몸을 춤추게 한다. 그다음 맨발로 둘레길을 걷는다는 것은 더더욱 달콤하면서도 나와의 약속을 지키려는 충성심에 가득 찬 초콜릿 시간이라고나 할까?

    달콤함에는 많은 것들이 들어있다. 시간, 장소, 만남, 기쁨, 사랑, 엄마와 아기 등의 대표적인 느낌이 그대로 녹아있다. 달콤함에 힘든 줄 모르고 덤볐던 사랑, 또 성공을 위한 끈질긴 노력이 숨어있다. 아, 이런 달콤함을 그 누군들 싫어할까? 나 역시 달콤함에 빠져 세상을 힘든 줄 모르고 잘 살았다. 그런데, 일흔이 되고 보니 이제 달콤함이 그토록 달기만 한 것이 아님을 조금씩 알아가고 있다.

새소리

나는 아침에 창문을 열고 새소리를 듣는다. 밤새 노래하고 싶어서 안달이 난 듯 갖가지 소리로 잠을 깨운다. 참새 소리의 재잘거림도 잠시 새로운 새들이 창문에 와 앉는다. 봄날의 따뜻함을 알리는 뻐꾸기 소리가 구성지다. 곧이어 물까치 소리가 경쾌하게 울려 퍼진다.

성주산 멀리서 들려오는 오색 딱따구리의 나무 쪼는 소리는 지나가던 발걸음도 멈출듯하다. 딱딱 따닥따닥! 입이 부르트도록 쪼아대는 그 잦은 구멍 뚫는 소리에 살며시 다가가도 눈치채지 못한다. 가만히 숨죽이고 새들의 노랫소리를 듣다 보면 어느새 나도 한 마리의 새가 되어 노래가 저절로 나온다.

새들이 한차례 노래 경연이 끝나면, 찬란한 태양이 얼굴을 내민다. 산기슭에 사는 나는 큰 행복을 저절로 얻고 있다. 이 아름다운 새소리를 통해 자연의 신비함과 건강한 삶의 기운

을 듬뿍 받는다. 신나는 할머니가 삶의 풍요와 행복감을 맛볼
수 있는 최고의 시간, 새들과 함께 창가를 부르는 동틀 무렵
의 새날 맞이 아우성이 귓전에 맴돈다.

향기

유월 아침 일찍 산길을 걷는다. 골짜기마다 흰색 밤나무꽃들이 밤꿀 향기를 가득 뿜어낸다. 코끝이 벌름거리고 쌉싸 달콤한 밤꿀 향기가 온 산을 덮었다. 발걸음을 멈추고 밤꽃 냄새를 킁킁거리며 맡아본다.

"밤새 밤꿀을 모두 흘려보냈나?" "벌들은 이 많은 밤꿀을 얼마나 빨리 모아야 할까?" "비 오면 금세 꽃이 질 텐데!" 이런저런 생각을 하면서 여전히 밤꿀 향기에 취해 비틀거린다.

흰 수염 같은 밤꽃 잎새가 나풀거린다. 길게 늘어뜨린 흰 머리카락 같은 꽃송이들이 앙증맞은 모습으로 방긋 웃고 있다. 보조개 같은 꽃송이 송이마다 짙은 갈색의 꿀이 가득 고였다. 아카시아 꽃향기보다 더 진한 밤꽃 향기에 커다란 후박나무와 참나무 잎사귀를 삼켰다. 온통 성주산은 밤꽃으로 가득 찼다. 일 년 중 가장 낮이 길다는 하지에도 밤꽃향 이기는 온산을 뒤덮고 오가는 이들의 발걸음도 멈췄다. 꽃향기 경연대회에서 가장 짙은 향기로 장원을 받을 만한 향기에 박수가 저절로 나온다.

맛

나는 요리하는 것을 즐겨하지 않는다. 그런데 갑자기 '하지감자'가 생각났다. "그래, 감자를 쪄 먹으면 좋겠는데?" 어릴 적 여름 이맘때 파삭파삭한 흰색 분말이 넘쳐나는 감자 먹은 기억을 떠올리며 감자를 샀다. 제철 감자라서 값도 무척 쌌다. 한 봉지에 3천 원이라고 하길래 난 무조건 덥석 집어 들었다.

껍데기를 벗기지도 않고 그냥 세척물에 담가놓았다가 깨끗하게 씻었다. 솥에 감자가 잠길 만큼만 물을 넣고 소금을 약간 넣은 다음 7개를 넣고 끓였다. 센 불에서 한 20분쯤 되었을 때 들여다보고는 깜짝 놀랐다. 정말로 감자들이 모두 터져서 껍질이 갈라지고 그 안에서 희고 뽀얀 우윳빛 감자가 튀어나올 듯 벌어져 있는 게 아닌가? "야, 오랜만에 최고의 맛을 자랑하는 하지감자를 샀구나!" 깜짝 놀란 나는 순식간에 감자샐러드를 떠 올렸다. "이 감자에 달걀, 양파, 오이, 당근을 넣으면 이틀 동안 맛있게 먹을 수 있겠는걸?"

부랴부랴 달걀 5개를 삶았다. 오이는 얇게 반달로 썰어서 절여놓고, 양파도 한 개 잘게 썰어놓았다. 당근은 사 놓은 것이 오래되어 시들었기에 마트에 가서 새로 사 와서 오이와 같은 모양으로 소금에 절였다.

감자가 다 익었을 때 물을 조금 따라 버리고 약한 불에서 조금 있다가 꺼내니 최고의 찐 감자가 되었다.

뜨거운 감자와 달걀을 함께 으깼다. 파슬파슬한 감자를 조금 먹어보니, 맛이 뛰어났다. 그 속에 양파를 먼저 넣고 그다음에 절인 오이와 당근을 넣으니 그야말로 감자샐러드의 진수를 맛보는 것 같았다.

흰색 감자의 부드러운 맛과 달걀의 매끄러운 식감이 제법 잘 어울렸다. 생각지도 않았던 감자샐러드를 먹으면서 내가 만들었지만, 이런 맛깔스러운 감자샐러드는 처음인 듯 연신 손과 입이 바빠졌다. 감자의 고향 맛과 달걀의 부드러운 촉감의 맛, 그리고 오이와 당근의 달콤한 씹는 맛이 일품이었다. 게다가 감초처럼 코끝에 스치는 맛의 양파가 어우러져 환상의 샐러드가 된 것이다.

요리 못하는 내가 이렇게 멋진 감자샐러드를 만들었다는 게 믿어지지 않았다. 아마도 며칠간 두고두고 냉장고에서 나의 손길을 기다릴 것을 생각하니 저절로 입가에 군침이 돈다.

맨발로 향하는
자유의 노래

새벽 에어로빅을 마치고 맨발로 홀가분하게 걷는다. 발바닥이 만지는 땅과 바람은 세상 그 어떤 것보다 가볍다. 오늘은 네이버 블로그의 "실천 백일 도전 프로그램"의 열아홉 번째 되는 날이다.

밖으로 나가야겠는데 장맛비가 주룩주룩 내린다. 워낙 폭우라서 밖을 바라보며 비가 잦아들기만을 기다리고 있다. 비가 세차게 내려도 맨발 걷기를 꼭 하려는 마음은 왜 이리도 강렬할까? 나이 들수록 몸의 변화를 느낀다. 걸음이 느려졌고, 친구 이름과 사물의 명칭이 금방 생각나질 않는다. 나이 듦에 따른 자연현상이라고 생각하면서 지냈다.

그러던 중 지인들과 방태산 계곡으로 휴가를 다녀왔다. 냇가에서 물놀이하고 내려와서는 족욕까지 했다. 그런데 옆에 계신 분이 내 발을 보더니 이렇게 말했다.
"무지외반증이네요. 아프지 않으세요?"

"네? 저는 전혀 아프지 않은데요."라고 말했지만, 주위 분들이 모두 병원에 가보라고 했다. 내가 봐도 엄지발 모양이 변형된 것을 금방 알 수 있었다. 키가 작기에 젊은 시절에 높은 구두를 신고 다녀서 그런 것일 거라고 대수롭지 않게 넘겼다.

아프지는 않지만 무심하게 넘길 일이 아니기에 정형외과에 가서 진찰받았다. 먼저 엑스레이로 오른쪽과 왼쪽 발의 앞, 뒤, 옆을 몇 판 찍었다. 가슴이 콩닥콩닥 두근거리고 진정이 되질 않았다. 약 10분 후에 간호사가 이름을 불렀다. 난 조심스럽게 진찰실 문을 노크하고 들어갔다.

"무지외반증이 아닙니다."라는 의사 선생님 말씀에 안도의 한 숨이 나오면서도 은근히 걱정되었다.

"그렇다면 왜 발의 양쪽 엄지발가락 쪽으로 뼈가 튀어나온 것일까요?"라고 다급하게 물었다.

"나이 들면 그럴 수 있어요. 류머티즘 형 관절 이상입니다."

"그러면 어떻게 치료해야 하지요?"

라는 물음에 대한 답은 이러했다.

"평소대로 잘 걸어 다니시고 무리하지 마세요."라는 말이 전부였다.

아, 나이 들면서 자연스러운 현상쯤으로 치부되는 병이라는 생각이 들었지만 개운치 않았다.

게다가 고지혈증 수치가 높아진 것도 한몫했다. 고혈압의 가족력이 있기에 난 늘 혈압과 고지혈증 그리고 당뇨병 등에 신경을 쓴다. 더구나 어머니가 치매로 돌아가실 때 가족을 제대로 몰라보셨기에 치매도 내겐 참으로 무시 못 할 예방해야 할 질환이다. 이런저런 몸의 변화를 느끼게 되니 자연스레 건강에 신경을 쓰게 되었다. 그즈음 블로그에 100일 도전 프로그램을 알게 되었다. 나는 '맨발 걷기'로 정하고 매일 아침 맨발로 걷는 중이다.

며칠 전, KBS의 '생로병사' 방송에서 맨발 걷기에 관한 내용을 시청했다. 그 방송에서는 각종 질병을 맨발 걷기로 낫다는 사람들의 증언이 쏟아졌다. 더구나 암 치료도 했다는 말에 난 솔깃했다. 아, 맨발 걷기로 변형된 발과 고지혈증을 치료해야겠다고 단단히 마음먹었다.

아마도 맨발 걷기에 대한 효능이나 기적 등을 알지 못했다면 계속 걱정했을지도 모른다. 장마철 비로 인해 성주산길 걷기가 어려울 때는 배드민턴장이나 에어로빅 운동장에서 맨발 걷기를 한다. 다소 미끄럽고 평소보다 위험하지만 100일 후에 달라질 내 모습을 머릿속에 그려본다. 건강한 발과 몸의 기관들이 좋아지고 마음까지도 뿌듯해지는 믿음 때문에 매일 힘차게 걷는다.

내년 4월에 산티아고 순례길을 가려면 발이 불편해서는

절대 갈 수 없다. 그렇기에 하루도 쉬지 않고 맨발 걷기에 몰입하고 있다. 일흔을 살아온 삶을 되돌아보고, 앞으로 살아갈 길을 점검하는 여행이다. 한 번쯤은 꼭 해보고 싶었기에 오래전부터 몸과 마음 준비를 단단히 하고 있다. 따라서 맨발 걷기 실천은 어쩌면 그 어렵다는 순례길의 물고를 순조롭게 터보려는 시도인지도 모른다. 힘들고 지친 날은 하루쯤 건너 뛰고 싶다는 마음이 들 때도 있다. 그럴 때마다 산티아고를 생각하면서 꾸역꾸역 한 발 두 발 맨발로 땅에 내디딘다.

보름간 실천한 효과가 조금씩 나타나는 듯하다. 전에 비해 잠을 1시간 이상 더 자며, 피곤을 덜 느끼고 있다. 또한 발이 가벼워지는 느낌이 들고 발바닥 마사지를 온종일 받는 듯 시원하다. 발바닥이 화끈거릴 때도 있다. 그럴 때는 찬물에 발을 담그면 발 전체가 하늘을 나는 기분이다.

며칠 전 지인 모임에 나가서 맨발 걷기를 시작했다고 자랑스럽게 말했다. 그랬더니 지인 한 분의 첫마디가 이러했다.

"맨발 걷기 시작 전에 파상풍 주사는 맞으셨지요?"라는 말에 깜짝 놀랐다.

"아니요, 그냥 무작정 시작했는데요"

지인의 말로는 맨발 걷기 하기 전에 반드시 파상풍 예방 접종해야 한다고 목청 높여 말씀해 주셨다. 은근히 걱정되어 헤어지자마자 소사보건소에 전화했더니, 파상풍 예방 접종은 하지 않는다고 직원이 말했다. 난 부랴부랴 집 근처 서울정형외과에 갔다. 그곳에서도 예방 접종은 하지 않는다고 했다. 대신 발에 이상이 생기면 그때 와서 치료하면서 파상풍 주사를 맞으면 된다고 했다. 한순간 걱정이 사라지면서 마음이 가벼워졌다.

아침에 산 둘레길의 황톳빛 흙을 밟을 때 발과 땅이 닿는 표면이 마치 보드라운 밀가루 위를 밟는 것 같다. 나날이 달라지는 내 발가락의 움직임과 발바닥의 간질거림이 아가의 발처럼 보드랍다.

동틀녘 이슬을 머금은 꽃과 나무들이 기지개를 켜고 일어날 때의 상큼한 초록빛 느낌이라고나 할까? 새날이 밝았다고 목청 높여 노래 부르는 물까치 소리에 리듬감이 더해 발걸음이 가볍다.

아마도 맨발 걷기 도전 100일이 다 채워져 "참 잘했어요." 도장이 백 개가 채워지는 날의 감격을 어떻게 맞을지 벌써 설레고 궁금해진다. 단순하게 그냥 둘레길 걷기는 매일 한다. 맨발 걷기 도전 전에도 매일 1만 5천 보 이상을 걸었다. 그런데 맨발 걷기는 빨리 걸을 수 없어 오히려 걸음 수는 더 적어졌다. 그런데도 내 몸은 훨씬 가벼워진 듯한 느낌을 받는다.

아마도 맨발 걷기를 시작하지 않았다면 내 건강을 위해 세심하게 챙기지 않았을 것이다. 오늘도 힘차게 맨발 걷기를 하며 생애 최고의 건강 지키기를 실천 중이다.

땅과 내가 하나 되는 순간, 나는 없고 오로지 나무와 꽃 그리고 풀벌레들의 향연만 가득하다.

시간이 멈추고 내 발이 자유롭게 훨훨 날 때 발바닥의 따뜻한 흙을 만지며 내 맘도 두근거린다.

맨발로 향하는 자유의 노래는 숲속에 울려 퍼지고 푸른 하늘 날개 속으로 향하고 있다.

보랏빛 가족여행

2023년 5월 27일 토요일에 가족여행을 다녀왔다. 둘째 딸이 사는 동백 집에서 승용차로 오송역까지 갔다. 그곳에서 사돈 내외를 만나 함께 여행을 떠났다. 목포에서 신안군 1004의 섬을 거쳐 자은도에 닿았다.

자은도는 작은 섬이지만 바다가 조용하고 깨끗했다. 라마다 호텔에 묵으면서 쾌적한 시간을 보냈다. 일찍 일어나 바닷가를 산책했고 맨발로 걸으면서 힐링도 했다.

특히 인상 깊었던 것은 라벤더 축제였다. 보라색으로 단장된 라벤더 축제장을 갔다. 모든 게 보랏빛 물결이었다. 보라색 옷차림, 보랏빛 스카프, 보랏빛 지붕, 보랏빛 다리 등 모든 색이 보라, 보랏빛이었다. 아름다운 보랏빛 속에서 보라색의 신비감이 가득했다.

보랏빛 물결이 온 마을을 감싸 안았다. 천 개도 넘는 섬

중에 안좌도와 박지도였다. 두 섬을 연결해 보라 다리를 통해 축제장으로 걷기 시작했다.

'퍼플섬 라벤더꽃 축제'라는 안내판과 현수막이 바람이 펄럭인다. 섬 전체가 보라 보랏빛으로 가득 찼다. 집, 다리, 길 그리고 사람들의 옷차림도 모두 보랏빛이다. 보랏빛 상징탑에는 "세계 최우수 관광마을"이라고 적혀 있었다.

멀리 크고 작은 섬들이 옹기종기 가족처럼 모여 있다. 물이 다 빠진 갯벌을 보라 다리를 통해서 걸었다.

몇 년 전만 해도 갯벌밖에 없는 곳이었다는데 보랏빛으로 물든 지금은 사람들로 넘쳐났다. 잠깐 서 있으면 떠밀려서 앞으로 가야 할 정도로 사람들이 많았다. 우리 가족은 사진 찍을 새도 없이 총총걸음으로 서로를 확인하면서 걸었다.

"할머니, 좀 천천히 가세요."
"세종시 할아버지와 할머니는 어디 계시지?"
손녀가 내 손을 붙잡는다. 흰 모자에 보랏빛 스카프를 두른 손녀를 놓칠세라 꼬옥 손을 잡았다. 평소 같으면 힘들다고 투정 부렸을 텐데 워낙 뒤에서 밀려오는 사람들이 많으니 그냥 저절로 떠밀려 가는 것 같았다.

'퍼플박스 미디어아트 전시장'이 있었지만, 라벤더 축제장을 가기 위해 그냥 지나쳤다. '구스타프 클림트, 폴 고생, 빈

센트 반 고흐의 그림이 판넬로 있는 것을 보니 그림의 수준이 꽤 괜찮을 듯도 했다. 계속 약 한 시간을 갯벌 위 보랏빛 다리를 걸었다. 시원한 바람이 불어 갯벌의 짭짜름한 냄새가 코끝에 스쳤다. 이 섬과 저 섬을 가족들과 걸을 수 있다는 것이 새삼스러웠다.

안좌도를 다 돌았을 때도 라벤더꽃은 보이지 않았다.
"할머니. 라벤더꽃은 어디에 있는 거야?"
"그러게, 나도 아무리 봐도 안 보이는데?"
손녀는 계속 내게 물었다. 슬며시 속상해졌다. 이렇게 섬 전체를 다 돈 것 같은데 라벤더꽃은 보이지 않았다. 그때 누군가가 소리쳤다.
"저기 라벤더 꽃밭이다."

멀리 보랏빛 물결이 출렁이고 있었다. 우리는 라벤더꽃을 보기 위해 빨리 앞으로 나갔다. 반월도라는 바위 표지석이 보였다. '보라꽃향기 정원'이라는 원형 꽃 터널을 들어갔으나 보이질 않았다.

언덕 위에 보랏빛 꽃물결이 보였다.
'와, 이제야 라벤더꽃이 보이는구나!' 얼마나 기분이 상쾌했던지 난 거의 뛰다시피 보랏빛 꽃에 닿았다. 그런데 라벤더꽃과는 전혀 다른 보랏빛 꽃이 한들거리고 있었다. 빛깔은 보랏빛인데 꽃은 라벤더가 아니었다. 크게 실망하고 써 놓은 팻

말을 보았다. '버들마편초꽃/ 5-11월/ 68만 본'이라고 적혀 있는 것을 보고 속았다는 느낌이 들었다.

'그럼 라벤더 축제장은 어디란 말인가?'

터덜터덜 박지리까지 걸어오니 힘이 들었다. 퍼플교 박지-두리 구간(547m)라는 곳에 닿았다.

'라벤더 정원 가는 길 숲길 도보 20분'이라고 적혀 있었다. '아, 여기서 또 20분을 더 걸어야 한다고?' 우리 가족은 20분 정도 기다려 전동카트, 버스를 타기로 했다. 7분 정도 타는 것이라 천 원이었다. 평소 같으면 당연히 걸어갈 수 있겠지만 더위에 지친 상태였기에 기다렸다가 타고 가기로 했다.

기다리는 동안 보랏빛 다리, 보랏빛 섬이 있기까지의 글귀가 적힌 반달 모양의 안내판을 읽었다. '보랏빛 다리(Purple 교)'는 평생을 박지도에서 살아온 김매금 할머니의 두 발로 걸어서 육지로 나오고 싶다"라는 소망에서 시작되었단다. '할머니의 소망을 접한 신안군은 2007년 안좌면 두리선착장과 박지도, 박지도와 반월도를 연결하는 총길이 1.46km의 목조교를 놓았다' 라고 적혀 있었다.

전동버스 운전기사님은 보랏빛 양복 차림으로 올라타자마자 설명하기 시작했다. 바라보는 풍경은 왼쪽은 갯벌이었고, 오른쪽으로 낮은 언덕이 보였다. 짧은 순간이지만 이 섬의 꽃들의 종류를 순식간에 알게 되었다.

"배 없이는 한발도 벗어날 수 없는 고립된 섬, 반월도와 박지도의 76가구, 130여 명이 사는 작은 섬마을이 이렇게 변했지요."

"도라지꽃, 꿀풀, 라벤더, 버들마편초 등 보라색 꽃이 곳 곳에 흐드러지게 핀 두 섬은 '퍼플'(PURPLE·보라색)을 테마 로 잡았어요."

"이제 곧 라벤더 축제장이 보이실 겁니다."

마음속으로 환호를 지르고 싶었다.

'아, 이제야 라벤더 축제장엘 도착했구나!'

드디어 "라벤더 정원"에 들어서니 입이 딱 벌어질 지경이 었다.

드넓은 언덕에 라벤더꽃이 수십만 그루가 우리를 맞아주 었다. 보랏빛 양탄자를 깔아 놓은 듯했다. 연신 감탄사가 저 절로 나왔다. '어머나, 너무 예쁘네, 어쩜 이렇게 라벤더를 많 이 볼 수 있을까?'

바람의 언덕에서 바라본 라벤더 색깔은 보랏빛을 넘어 보 라 물결을 연출했다. 내 생전에 이렇게 보랏빛이 아름답다고 느껴본 적이 있었던가? 그냥 보랏빛 바다에 풍덩 빠져서 허 위적 거리는 나를 발견했다. 집 화분에 한그루의 라벤더를 길 러본 적이 있던 딸네는 한 달도 못 키우고 죽였다. 그때 기억으로 이 꽃은 키우기가 참 까다롭겠다고 생각했던 그 라벤더가 이렇게 온 언덕을 덮어 바닷가 마을 전체를 덮고 있다니!

축제장에서 진행하는 "라벤더꽃 따서 가져가기" 행사에 단돈 천 원으로 봉지 가득 딸 기회가 있었다. 우리 가족은 꽃 구경하면서 연신 따서 비닐봉지에 담았다. 습한 날씨여서 잘 말일지는 생각지도 않고 거의 가득 채웠다. 꽃향기는 꽤 진해 그 봉지에 코를 대는 순간 어찔할 정도로 코끝이 새끈거렸다.

이렇게 향이 진하니 여러 가지 제품에 쓰이겠구나! 집에 가져가서 정성껏 말려서 베잎 주머니에 넣어 손녀에게 주면 어떤 반응을 보일까? 연신 꽃 냄새를 맡으며 싱글벙글 행복했다.

라벤더의 향긋한 향내가 온 마을에 퍼져 사람들도 더욱 건강해질 듯했다. 집에 걸어두면서 오래오래 라벤더 축제를 기억하고 싶다.

바람이 가볍게 스치는 언덕에서 우리 가족은 보랏빛의 향기에 취해 사진을 찍었다. 어느 곳에서 찍어도 풍경이 그림 같았다. 라벤더 들판에 물든 푸른 하늘, 그 위로 작은 언덕, 그리고 바다가 보랏빛 물결로 이어지는 풍경은 한 폭의 수채화라고나 할까?

라벤더 축제를 즐긴 후에는 소규모 체험을 할 수 있었지만, 아쉬운 발길을 돌렸다. 전동차 대신 오솔길을 걸었다. 나무들 사이에 수줍게 엉겅퀴꽃들 피었다. 버들마편초와 라벤더의 보라색 꽃들이 머리 위로 향기롭게 퍼지는 것을 느꼈다.

라벤더 축제를 떠날 때, 라벤더 언덕의 보랏빛이 눈에 새겨져 머릿속에 오랫동안 남았다. 이 아름다운 추억을 오래오래 간직하고 싶은 마음이 가득했다. 신안 천사의 섬에서 보랏빛 향기를 가득 품고 온 것에 감사가 넘친다. 아쉽지만 떠나야 했다.

신안 1,004섬의 아름다움과 자연의 힘을 느끼며 우리나라에 이렇게 멋진 곳이 있다는 것에 가슴이 벅찼다. 앞으로도 틈내어 대한민국의 멋진 풍경들을 온몸으로 느껴봐야겠다고 생각하며 아쉬운 발길을 돌렸다. 여전히 보랏빛 향기는 내 마음을 흔들며 꼬옥 붙잡고 있다.

글쓰기 그리고 배움에 빠지다

신영기

작가 이야기

삶과 죽음의 길목
결혼과 동시 나는 없었다.
냉장고를 채워야 했고
애들 교육을 시켜야 한다.
결혼과 동시 고가 시작되었다.

마지막 길목에서 새 삶을 시작해 본다.
글쓰기 공부가 새싹이 옴 터는 맛을 느끼게 한다.
한 자, 한 줄, 한 페이지를 나도 쓸 수 있다는 내 마음 자
세, 감사하고 감사합니다.

너는 그러지 마라

갈 때 마음 다르고 올 때 마음 다르다.
너는 그러지 마라.

다른 사람들은 다 그래도
라디오에서 들려오는 너에
마음 들어 볼 때 너는
바다보다 넓은 마음 간직하고
세상에서 제일
인간적인 사람이며 좋은 벗이다.

정말로
칭찬하고 싶다.

크고 깊은 너의 마음은
태양 같은 마음 잘
표현하며 즐겁게
환하게 웃자꾸나, 사랑한다.

비

봄에 내리는 봄비
꽃잎처럼 가볍게 내리는 꽃비
있으라고 내리는 이슬비
가라도 내리는 가랑비 (이슬비보다 조금 굴건 비)
슬퍼서 내리는 구슬비 (가늘게 내리는 비)
갑자기 내렸다가 그치는 소낙비
겨울에 내리는 겨울비

천둥·번개(할머니 말씀)

아마 먼 곳에서 천둥·번개가 때렸나 보다.
할머니께서는 나쁜 사람에게 때린다고 하신다.
어릴 때는 정말 무서웠다.
말 안 듣는 사람은 벼락을 맞을지도 모른다고 했다.
나는 어찌나 무서운지
할머니 나 말 잘 듣고 숙제도 잘할 것이라고 하며
할머니 품으로 안기고 소리 내어 울었던 기억이 난다.

바람

봄에 꽃이 필 때쯤에 부는 꽃바람
더울 때 부는 고마운 바람
빨랫줄에 걸려있는 빨래를 날려버리는 미운 바람
가을에 부는 가을바람
바다에서 육지로 부는 갯바람
독하고 매섭게 부는 고추바람
뒤에서 불어오는 꽁무니바람, 꽁지바람
겨울에 부는 겨울바람

달콤함이란

내 생애 달콤이란 생을 살아본 적이 있는가? 달콤이란 단어는 나에게 어울리는가. 내 생애 한 번도 느껴본 적이 없다. 이 단어는 나와 상관없는, 무엇을 어떻게 해야 달콤한 것인가?

나는 음식도 제일 못하여 달콤새큼한 맛을 내 본 적이 없다. 그렇다면 내 가족사에 남편이 달콤한 말로 나를 감동을 준 일이 있던가. 아니라오. 결혼 50년 동안 달콤한 말은 들어 본 적 없다고 생각하면서도 생애 마지막 장식을 위하여 부부인연으로 살아가고 있다. 일주일에 한 번 오시는 간호사가 보기에는 다정한 부부로 보이지만 나는 어디까지가 달콤인지 모르겠다. 다만 이렇게 동행해 주니 고마울 뿐이다. 오늘도 내일도 달콤함을 모르고 살아갈지어다

원미산에서 본 산수화

산등선에 앉아
멀리 바라본다.
초록과 연초록이 온 산을 물들이고 있다.
한 폭의 산수화를 그려 놓았다.

어느 화백의 그림일까?
그림을 그린 것이 아니라 물감을
온 산에 통째로 물감을 부어 놓았다.

어쩌면 저렇게도 실감 나게도
표현 잘했을까?

저 멀리 파란 집엔
누가 살고 있을까?

아침이면 새가 와서 깨워주고
다람쥐가 와서 노크하는

그 파란 집에 살고 싶어라.

어느 둥지

날이 저물면 밤에는 이슬비 내린다.
이산 저 산에서 부르는 노랫소리

날이 저물면 어미 새 울음소리 새끼 찾는 소리
뻐꾸기 종달새 소리 가냘프게 들린다.

날이 저물면 새끼 새들도 제집 찾아가듯
둥지의 보금자리를 찾아간다.

날이 저물면 나는 어디로 갈 것인가?
두둥실두둥실 내 마음 가는 곳 어디메요.

하늘에 흰 뭉게구름 흘러가듯
나도 흘러 흘러가고 싶어라.

최고의 전셋집

이 몸 받아 팔십 평생 잘살았다.
누가 말했지 집과 여자는 쉼 없이 가꾸고
돌봐야 한다고 했다.
누구나 일상 그렇게 살아가는 줄 알 았다.

그 일상이 어느 날 돌변하여 2023년02월7일
오전 08시 20분 집 앞 건널목에서 넘어져
다리 발목뼈가 3개 뿌려졌다. 119의 고마움으로
성모병원 응급실 정형외과에서 다리 골절공사 시작하여
몇 달째 꼼짝없이
이렇게 하루 일과를 전셋집 보수공사를 하고 있다.

한 번도 보수공사를 해 본 적이 없는
탄탄한 집을 태어날 때
부모님께서 주신 최고급 전셋집이다.
그래서 나는 내 몸뚱이는 최고의 전셋집이라고 자부했다.
그래서 부실 공사는 금물 초조할 필요는 없다.
시간이 지나면 단단한 기초공사가 끝날 것입니다.

보수공사를 잘하여 때가 되면 내 몸뚱이의 전셋집을

돌려줘야 한다. 그때가 언제인지
어느 누구도 모른다.
그렇지만 내 나이가 되고 보니 어렴풋이 서산마루에
앉아 있다는 것을 알 것도. 모를 것 같기도 하다.

내가 가야 할 길은 누구도 같이 갈 수 없는 길
그 누구도 가보지 못한 길을 가야 한다.
내 몸뚱이의 전셋집을 깨끗이 보수공사를 잘하여
우주공간으로 돌려주고 아주 고맙다는 인사를 하고
가야 한다.

어미 새의 사랑

우리 집 뒷산에 슬피 우는 어미 새
새끼 새 부르는 애절한 소리
짹~ 짹~ 째 짹~짹

이리저리 날갯짓하며
구슬프게 새끼 새 부르는 소리
짹~짹~ 째 짹~ 짹

큰 나뭇가지에 앉아 우는 어미 새
물소리 바람 소리에 실려 보내는
생명의 노랫소리 보낸다.

내 새끼, 내 새끼야
어느 곳에서 헤매고 있니
혹시나 새끼줄 같은 긴 동물 만나면

어미 곁으로 돌아오렴.
어미 새가 물고 온 먹이 먹고
어미의 날개 품어 안겨
사랑 노래 부르자

사랑하는 내 새끼야

산등선에 앉아서
노래하는 새를 보았다.
어미 새는 어디선가
점심을 먹고 와서
지렁이를 나무 위에 얹어 놓고
슬그머니 주위를 맴돈다.

삶의 향기가 나는 수필을 꿈꾸며

양월화

작가 이야기

쓰고 싶은 책,

아직도 어린 티를 못 벗었는지 동심의 세계를 동경한다.

어머니 품 안 같은 포근한 이야기를 좋아한다.

특히나 산 높고, 물 맑은 산야를 뛰어다니며 놀던 그 추억에 젖어 든다.

지금도 봉사의 끈을 놓지 못하고 이어 온 이야기도 쓰고 싶다.

새마을 사업의 주역으로써 나라의 재건에 이바지한 일꾼들의 애한, 보람, 성취감이 상기된다.

경험과 토대로 한 수필 같은 내 인생의 지침서를 쓰고 싶다.

가족

우리 가족은 아들 하나에 딸이 넷이다.
모두 출가하여 이웃하며 살고 있다.
아들이 넷이었으면 어땠을까?
든든한 아들 하나면 족하다.
며느리와 갈등의 소지도 없어 좋다.
10명의 개성이 다양한 손주, 손녀들을 보면 가슴이 뛴다.
오늘 새벽 벌막공원에 갔다.
우리 동네 벌막공원엔 갖가지 꽃들이 저마다 뽐내며
나를 맞아주었다.
그중에서도 수국이 무리 지어 피어 있었다.
한 가족을 이루며 단란한 모습을 보니
우리 가족도 꽃처럼
아름다운 마음으로 주위를 아우르면 살아가리라 다짐했다.

비

흐느끼는 소리에 눈을 떴다.
가뭄이 달아나며 흘린 눈물이
창밖으로 흐르는 소리였다.

애가 탔는데
말라가는 나뭇잎을 보며
내 속도 까맣게 타들어 갔는데

미안해서 쳐다볼 수도 없었는데
안쓰러워 매일 기도했는데
단비가 내리고 있었다.

쩍쩍 갈라진 들녘을 흥건히 적시고 물웅덩이도 채웠다.
축 늘어진 나뭇잎에 생기가 돌았다.

쭉쭉, 기지개를 켜면 생명수를 들이켜는 소리가 들린다.
마치, 자식 입에 오르내리는
밥숟갈 소리처럼

천둥·번개

우르르 쾅쾅, 번갯불이 번쩍, 하늘이 노했나 보다.
무서워서 밖을 나갈 수가 없다.
괜스레 큰 죄 지은 사람처럼 오금이 저리다.

천둥이 치고 번갯불이 번쩍이면
태풍과 홍수로 수난을 겪을
장마철이 걱정이다.
제발, 재해를 몰고 오지 않았으면 좋겠다.

무분별한 자연의 훼손은
우리에게 커다란 재앙으로 엄습해 온다.
기상 이변이 심한 요즈음 나는, 하느님께 빌고 또 빈다.

천둥·번개로 호통을 치며 자연의 순리를 역행하는
인간의 한계를
하느님이 보우하사, 우리 삶이 편안해지길요.

바람

살랑 바람이 비단결 같은 손길로 나뭇가지를 어루만진다.
삭정이도 제거해 주어 신이 났다.

자연은 아름답고 숭고하다.
무더위를 식혀주는 바람 한 점에도
목마름을 달래주는 한줄기 소나기에도,
무시무시한 천둥·번개의
위력 앞에서도,
순리를 역행하지 않는다.

바람은 왕이다.
여리면서도 거세고, 부드러우면서도 회오리를 일으킨다.
순한 양 같지만, 칼바람도 분다.

바람하면 이상야릇한 느낌으로 와닿기도 한다.
바람의 수식어가 많은 요인이다.
그중에서도 나는 신바람을 좋아한다.

아침에 눈을 뜨면 가장 먼저 일기예보에 귀 기울인다.
맑음, 흐림, 비, 천둥·번개를 동반한

소나기의 예보에 따라
내 마음도 시시각각으로 흐른다.

좋은 아침에 꽃바람, 신바람 나는
하루를 연다.

들린다

실바람에 나뭇잎이 하늘거린다.

어스름 속, 어둠을 찾은 달님도 나를 찾아 기웃거리는데, 고요한 정적을 깨며 들려오는 새들의 노랫소리가 감미로운 음악으로 들려온다.

번거로운 일상에서 탈출한 나는 새소리에 심취하여 끝없는 나래를 펼치며 자꾸만 깊은 숲속으로 빨려 들어갔다. 도시의 소음을 잠재운, 잠시나마 마음에 안정을 취할 수 있는 쉼, 이 여유로움을 아무도 침범할 수 없는 나만의 특권으로 누리고 싶다.

감각

고약한 냄새가 코끝을 자극했다. 무슨 냄새가 이리도 고약할까? 순간, 머릿속을 스치고 지나가는 김치찌개 생각이 났다. '어머, 내 정신 좀 봐!' 가스 불에 올려놓았던 김치찌개가 숯덩이가 되어 나를 노려보았다.

집안은 탄 찌개 냄새로 가득했다. 황급히 창문을 열고, 환풍기며 모든 수단을 총동원하여 공기정화하는데, 안간힘을 다 썼다. 불길한 생각이 들었다. 요즘, 정신이 나간 행동이 부쩍 늘어가고 있으니 혹시나 하는...

도래질을 치면서 설거지 걱정이 앞섰다. 맑은 공기에 달콤하고 향긋한 냄새만을 맡을 수 있게 해 달래네요. 내 코가.

추억 속으로

귀청을 울리는 귀뚜라미 울음에 가을이 서서히 영글어 간다.

거리엔 금물결을 이루는 은행과 빨갛게 상기된 감이 가을 햇살에 수줍은 얼굴을 내밀면서 소담스레 익어간다. 가을옷으로 갈아입은 담쟁이와 코스모스가 청명하고 풍성한 가을 속으로 나를 이끈다.

세상은 코로나19, 바이러스와 한바탕 전쟁으로 마음 편할 날이 없는데, 한 번도 경험하지 못한 추석 맞이는 부모 형제와 친지들의 반가운 대면도 끊어 놓았다.

고향 집 울타리를 분홍빛으로 수 놓으며 나비처럼 춤추던 코스모스가 한가위 달빛에 하늘거리며 영롱한 보석인 양 빛을 발했다. 설렘으로 가슴 두근거렸던 사춘기의 그 청순했던 모습처럼.

한가위 날 밤, 할아버지의 제사를 모시면서 귀를 간지럽히던, 달맞이에 취한 친구들의 즐거운 함성이 부러웠다. 같이 어울려 놀고 싶었다. 하필이면 추석 밤이 제사라 어릴 땐, 참 불만이 많았다.

초가지붕을 깔고 앉은 발가벗은 덩그런 호박과 시리도록 하얀 이슬 먹은 박꽃이 손짓하며 나를 부른다. 내 친구들과 함께 뛰놀던 고향 산천이 몹시도 그리운 밤이다.

고향 잃은 실향민이 되어버린 우리 모두의 안부가 궁금하다며 휘영청 보름달이 나의 창문을 기웃댄다. 우주공간에서의 아련한 기억이 지금, 이 순간 50여 년 전, 시간 속으로 나를 이끌며 추억을 소환했다.

묻어둔 고향의 흔적을 찾아내 마음은 길을 헤매며, 회야댐 맑은 물에 수장된 어릴 적 추억을 끌어 올렸다. 오랜만에 소꿉장난하던 친구들과 한바탕 수다로 향수를 달랬다. 하하, 호호, 개구쟁이들의 해맑은 웃음에 가슴속에 쌓였던 시름이 봄눈처럼 녹아내렸다.

특별한 날이면 더욱 보고 싶고 그리운 내 친구들의 이름을 목청껏 불러본다.

아침

어둠이 걷어지고 새로운 희망으로 맞는 아침은 언제나 신선하다. 오늘은 무슨 일들이 펼쳐질지 예측할 순 없지만, 한 가닥 한 가닥 베일을 벗겨, 알차고 후회 없는 아침이 열렸으면 좋겠다.

첫 새벽, 동네 우물에서 두레박으로 물을 긷던 아낙의 심정으로 잠자는 새벽의 아침을 마구 퍼 올렸다. 아이들의 도시락과 과제물 챙기느라 분주했었던 젊은 날의 아침과 시간이 멎은 듯 조용한 둘만의 아침이 뚜렷하게 대조된다.

생기를 불어넣을 새 아침의 화단에 갖가지 꽃들을 심어, 아름답고 예쁜 꽃을 한가득 피우리라. 오늘은 최고로 성숙한 아침을 맞이할 것 같다.

배우자

측은지심으로 산다.

젊어서는 젊은 혈기로 살았다. 물론, 사랑을 바탕으로 한 본질은 흐리지는 않았다. 요즘의 젊은이들은 연애하면서 상대방의 장, 단점을 파악하고 배우자를 선택한다. 하지만 우리 때는 아주 달랐다. 그때도 연애는 있었지만, 지금처럼 드러내 놓고 하진 않았다.

나는 중매로 배우자를 만났지만 성실한 사람이었다. 서로 다른 남남으로 만나 각자의 인격을 존중하며, 부모님께서 맺어준 인연이라 순종했다. 오로지, 가정과 아이들의 장래만을 위해 헌신하면서 살아왔다. 사는 데는 큰 무리는 없었지만, 인간이라 크고 작은 부딪침으로 속상할 때도 많았다.

남자라는 이유로 자기 주도적이며 배려가 아쉬웠다. 젊어서는 큰소리치면서 살더니 지금은 풀이 많이 죽었다. 배우자란 모름지기 평행선상에서 역할 분담을 잘하면서 살아야 대

접을 받는다.

황혼이란 종착역을 동반자란 이름과 측은지심이란 애잔함
을 나누며 산다.

꿈

꿈, 꿈, 꿈,

아무리 읽고 쓰고 생각해도 꿈이란 놈은 잡힐 듯, 잡힐 듯하며 달아난다.

꿈을 좇기 위해 얼마나 많은 세월을 허덕이며 달려왔는지 모른다. 공수표가 되어버린 꿈을 이루지 못 한 환상에 사로잡혀 살아왔다.

그러나, 꿈을 좇기보다 꿈을 키우는 데 주력해야겠다. 인제 와서 생각해 보면 그동안 나는, 무엇을 꿈꾸어 왔던가? 꿈을 이루고 사는 사람은 과연 얼마나 될까? 초심으로 돌아와 뒤돌아본 나의 삶! 지극히 당연하고 합리적인 내 생활에 안주하고 있음을 깨달았다.

누구나 꿈을 꾸고 산다. 아파보니 건강이 가장 큰 꿈이다. 원대한 꿈이 아니라 편안함이 꿈임을 절실하게 느꼈다. 나에게 꿈이 있다면 가족 모두가 건강했으면 좋겠다. 건강이 담보되고 허기진 생활이 아니라면 목적은 다 이루어졌다고 생각한다.

더 이상 꿈이란 덫에서 헤어나 편안한 일상으로 돌아가자. 돈을 모으기 위해 아등바등 살아왔던 지난 세월에 얽매이지 말자. 큰 부자와 큰 인물은 하늘이 내리신다는 진리를 깨달았다. 그들의 그늘에서 정의롭게 사는 게 꿈에 대한 나의 정의다.

장마가 시작됐다

　　무더위가 기승을 부리는 가운데 지루한 장마가 시작됐다. 전국은 물난리와 불볕더위로 몸살을 앓는다. 자고 나면 대형 사고로 뉴스를 장식한다. 해마다 장마철이 되면 어릴 적 겪었던 물난리의 공포가 생생하게 떠오른다.

　　1959년 사라호 태풍은 전국을 강타했다. 특히 경상도를 휩쓸었다. 추석날 아침, 차례를 모시는 중에 일어나 엄청난 수해를 몰고 왔다. 눈 깜짝할 사이에 마을은 물바다가 되었다. 집이 떠내려가고, 나무가 뿌리째 뽑히고, 산사태로 시뻘건 황토물은 인정사정없이 마을을 집어삼켰다.

　　첩첩 산골인 우리 마을에 전깃불이 들어왔다. 물레방앗간을 지어 새로 이사 온 주인의 제안으로 남는 전력을 이용해 불을 밝혔다. 온 동네가 뛸 듯이 기뻐했다. 한 달도 못 되어 흔적도 없이 떠내려가 안타까움을 금치 못했다.

세상에서 가장 힘센 장사가 셋인데 그중에서 물이라고 어른들이 하시든 말씀이 머리에서 떠나지 않는다. 불과 바람은 흔적은 남긴다. 물은 흔적을 없애며 지형까지 바꾸어 놓는다며, 장마를 대비하셨다.

미제, 구호품인 옷과 옥수숫가루, 우윳가루를 타러 면사무소를 찾던 기억이 어제 같다. 수재 의연금을 내느라 방송국에서 긴 줄을 보도하던 시절도 옛이야기가 되었다, 장마는 총, 칼 안 든 살인자다.

지금도 물난리를 겪는 현실이 참으로 안타깝다. 앞으로 다가올 태풍도 걱정이다. 제발, 이번 장마로 피해를 당하는 사람들이 없기를 간절히 바란다.

덕분에,
고맙습니다

　단어가 주는 의미가 매우 달달하다. 달콤한 속삭임, 달콤한 맛, 나는 달콤함을 좋아한다. 누구에게도 거부감 없는 말, 요즘처럼 인색한 세상에 부드럽게 사람들의 마음을 순화시켜 달콤한 세상으로 거듭났으면 좋겠다.

　나는, 만나는 사람들에게 달콤한 말 걸기를 좋아한다. 아파트 엘리베이터에서도 어느 누구에게도 말을 건다. 남녀노소를 가리지 않는다. 배달하시는 아저씨에게도, 공원 청소부 아저씨에게도, 수고하신다고, 공원이 너무 깨끗하다고, 공부 잘하고 오라고, 좋은 하루를 여시라고, 말을 남긴다.

　오지랖이 넓어 피해도 보지만 타고난 천성을 말릴 순 없는 것 같다. 이 모두가, 특별한 건 나를 위해 존재하는 우주의 살가움과 친화력 덕분이다.

배움은 끝이 없는
재충전이다

내딛는 발걸음이 가볍다. 원미 노인복지 회관 가는 길. 내 친구의 성화에 못 이겨 노인복지 카드를 만들었다. 친구 따라 강남 간다고 한사코 버티기만 했던 나도 주민등록 등본 1통과 사진을 준비해 친구를 따라나섰다.

부천시 원미노인복지 회관의 친절한 복지사 선생님의 안내로 회원에 등록하고 교육 일자에 맞춰 교육을 수료한 후 "16- 00027- 01"이란 회원증을 받았다.

원미노인복지관은 수많은 종류의 과목이 맞춤형으로 활기 넘쳤다. 상상을 초월한 40여 과목이 넘는 다양한 프로그램이 있어, 또 한 번 놀랐다. 나에게 새로운 삶을 창출할 둥지가 생겼다.

이제 나도 그 일원으로 노인복지 프로그램에 참여했다. 나에게 삶의 생기와 노년의 꿈을 꾸게 해준 친구 말을 진작 들을걸, 하며 후회했다. 노인복지의 신천지를 바보처럼 나만 몰랐다.

친구가 권하는 포크 댄스와 시니어 로빅을 등록하고 프로그램을 읽어 보는데, 작문 반이 눈에 띄어 신청했다. 대기하며 기다리는 시간이 있었지만, 마음은 괜스레 설레었다.

내가 작문 반에 입교해서 첫 수업을 받던 날의 가슴 벅참을 잊을 수가 없다. 서먹한 분위기를 잘 이끌어 주신 선생님과 선배 문우님들의 고마운 배려와 다정다감했던 그날의 기억을 가슴 속에 고이 담아 두었다.

원미노인복지관을 등록하고 집안일로 한동안 수업에 참여하지 못해 망설였다. 그러나, 작문에 대한 애정을 지울 수가 없었다. 지금 와서 생각하면 존경하는 선생님과 선배 문우님들의 따뜻한 배려와 내 친구의 우정어린 관심으로, 함께 할 수 있어서 참으로 다행이었다.

글짓기의 기초를 배우며 첫걸음을 떼었다. '기. 승. 전. 결'과 의인법, 직유법, 은유법, 활유법 등, '행과 연'을 나누는 연습을 했다. 선생님의 가르침을 익히며 시와 수필을 써보았다. 앞이 보이지 않는 글짓기의 어려움을 감내할 도리가 없어 안타까웠다. '한 술밥에 배부르랴'라는 속담을 떠올려 보기도 했다.

어둔하고 서투른 문장력으로 사물을 살피고 표현하려니 음식에 양념이 빠진 그것처럼 맛과 향이 나지 않았다. 언제쯤 적당히 조미하여 향신료까지 곁들일 수 있는 글을 쓸 수 있을까를 생각하며 마음의 고삐를 바짝 조였다.

나이 들어서 하는 공부가 이토록 힘이 든다는 걸 미처 몰랐다. 배우고 익혀도 잊어버리기 일쑤다. 하나를 배우면 둘을 까먹는다. 쇠퇴한 기억력은 돌아서면 잊어버린다.

그러나, 배움은 끝이 없는 재충전이다. "많이 읽고 많이 써야 글도 늘고 좋은 글을 쓸 수 있다며 글과 함께 고무줄놀이하듯 즐기라" 하신 선생님의 말씀이 생각났다. 이제부터 복지관 교실을 나의 글 쓰는 운동장으로 활용하여 줄였다, 늘였다가 하는 고무줄 놀이터로 글과 함께 놀아보리라 마음먹었다.

오늘도 나는 글짓기와 씨름을 한다. 주 1회 2시간여의 수업에 충실히 하려고 노력한다. 그동안 여러 차례 백일장에 응모도 해 보았다. 좋은 글을 쓰기 위해 경험을 쌓는 노력을 아끼지 않았다.

입상의 기쁨도 있었지만, 선배 문우님들의 커다란 수상 소식에 덩달아 행복해하면서도 한편으론 부러웠다. 내게도 꼭 그런 날이 오리라 마음속으로 수없이 되뇌며 열심을 다 하리라 다짐했다.

원미노인복지관 개관 19주년 기념행사로 어버이날을 맞아 '효, 사랑'에 대한 글짓기 공모전을 열어주셨다. 어르신들의 숨은 역량을 발굴하여 한층 도약할 수 있는 계기를 만들어 주심이라 생각한다.

앞으로도 노인들이 큰 꿈을 펼칠 수 있도록 더 많은 관심으로 염두에 두셨으면 좋겠다. 비록 이번 응모에 수상은 못했지만, 동료들의 빛나는 수상에 큰 박수를 보냈다.

노인들의 여가 활동을 통해 얻어지는 건강한 삶은, 가정과 사회에 이바지하는 바가 더 크다고 생각한다. 같은 처지 같은 입장으로 같은 곳을 바라보며 함께 가야 할 노년이란 이름 앞에, 황혼이란 공동체 의식이 저녁노을의 신비처럼 찬란하다.

잘난 사람과 못난 사람의 구분도 혈기 왕성했던 젊은 날의 표상이 아니던가! 이제 그 무엇보다 건강을 유지하는 길이 최선이다. 자식들에게도 사회에도 짐이 되지 않는 삶을 바라는 건, 우리의 희망이자 소원이며 최후의 보류이기 때문이다.

원미노인복지관에서는 한 해의 배움을 더욱 승화시키는, '두근두근 청춘제'를 준비해 어르신들의 의욕과 사기를 진작시켰다. 노인복지를 위해 애쓰시는 관장님과 여러 지도사 선생님의 수고와 어르신들의 피나는 노력으로 피어나는 꽃이라 더욱 아름답다.

취미 활동을 뛰어넘어 전문가 다운 역량을 돋보이게 하는 문화 행사에 참여하여, 관람하는 내내 진한 감흥을 받았다. 정말, 녹슬지 않은 끼는 조명 받아야 한다.

어르신 섬기기를 내 부모같이 공경하는 원미노인복지관은 노인들의 삶의 현장이기도 하다. 수업이 시작되는 09시부터 끝나는 시간까지 복지관은 항상 어르신들로 붐빈다. 마음만 먹으면 무엇이든 다 할 수 있는 노인이 가장 행복한 세상을 만들어 가는, 원미노인복지관은 내 삶의 제2의 동반자다.

그리고, 정성 듬뿍 담긴 맛있고 따끈한 점심 식사를 저렴하게 제공해 주심에 항상 감사한다. 자원봉사에 종사하시는 많은 분의 순수하고 뜨거운 사랑이 가슴속으로 스며든다. 자원봉사로 아름다워지는 사회가 바로, 노인복지에서부터 이루어진다고 생각한다.

코로나19로 힘들었던 지난 3년을 생각하면 잃은 것도 많았지만 줌 수업이란 새로운 방식을 도입한 과학이 있어 좋았다. 한층 업그레이드된 첨단 기술을 익히는 계기가 되었다고 생각한다.

O, X 팻말을 들어 긴장감을 더하는 퀴즈대회도 줌으로 열어 주셔서 연이어 나는 1등과 2등의 영광을 얻을 수 있었다. 전통을 살려 우리 고유의 풍습을 지키려는 추석 송편 만들기도 좋았다. 예쁘게 사진을 찍어 게시물에도 올렸다.

나는 오늘도 열정적으로 복지관을 찾는 해박한 연륜을 지닌 어르신들과 함께 수업받는다. 창의 도시 부천시가 장려하는 부천유네스코 일인일저 책쓰기에도 전념하고 있다. 예쁜 지도 선생님의 탁월한 수업 방식을 배우며 날개옷을 입고 날아오를 준비에 마냥 신이 난다.

후회했다

나 어릴 적에도 왕따가 있었다. 그때는 말하지 않았다. 등 굣길에 특정된 친구를 만나면 외면했다. 나는 무척 안쓰러워 말하려 했지만, 주위의 감시가 있었다. 언니들이 그 애하고. 말하지 말라면 지켜야 했다. 아니면 불똥이 나에게로 튄다.

마음속으론 너무나 미안했다. 하루는 규칙을 어기고 내가 먼저 말을 하고 말았다. 나는 빨리 이 규칙이 풀리길 바랐다. 외톨이가 되어 마음 아팠을 친구를 위해 눈을 피해 말을 걸 어 주면서 오래 끌지 않기를 바랐던 기억이 오늘따라 짠하다.

지금 일어나는 왕따는 사람을 폐인으로 만든다. 왜? 사람 들의 마음이 이렇게 꼬였나 모르겠다. 나는 그때 내 친구를 본의 아니게 따돌린 행동을 살면서 가장 후회했다.

심취했다

살아가면서 크고 작은 무수한 일들을 겪는다. 그냥, 지나칠 일도 있고 쉽사리 잊을 수 없는 일들로 일상을 채워왔다. 목표를 정하고 계획을 세우고, 하지만 이루어지는 건 별로 없다.

꿈을 현실로 이루어 내는 초능력을 지닌 과학은 언제나 신선하고 경이롭다. 돌팔이가 세상을 흔들어도 과학은 처연하다. 혼탁한 세상의 끝은 어딜까?

요즘 나는 소중함을 잃지 않으려고 건강의 묘약과 백서, 레시피에 심취했다. 내가 없으면 세상이 다 무슨 소용. 그리고 일인 일 저 글쓰기에도 온통 신경이 몰두해 있다.

빛이 났다

가만히 눈을 감고 곰곰이 생각에 잠겨 본다. 나를 에워싸고 있는 무수한 빛의 세계, 무엇이 그토록 내 마음을 설레게 했을까?

한 줄기 빛의 향방이 지금도 가슴을 뛰게 하는 장면이 있다. 아련한 기억 속의 그리움이다. 국민학교적 (초등학교)의 운동회. 봄에는 학예회, 소풍, 가을 운동회는 학생들과 시골 학부모의 잔칫날이다. 무용, 줄다리기, 체조 등 수많은 프로그램으로 날마다 방과 후면 연습을 했다. 집이 멀고 산골인 우리는 항상 선생님의 도움을 받았다.

10리 길이 넘는 인적 드문 산길을 배웅 후 선생님께선 되돌아가셨다. 지금 생각하면 선생님의 제자 사랑과 사명감이 가장 빛이 났다. 특히 기마전과 계주 릴레이는 청군과 백군의 응원 열기도 대단했다. 나는 달리기론 1등을 놓친 적이 없다.

운동회의 꽃인 릴레이 계주는 무엇보다 바통 받기가 승부
를 좌우한다. 릴레이 계주 선수로 친구들과 응원 인파의 박수
를 받았을 때가 내가 가장 빛이 났다.

그땐 그랬지

응원의 열기가 대단했다. 인심도 좋았다. 부천 시민운동장에 모인 부천시 각 동사무소 텐트가 들어서고 시민들이 모여들었다. 그날은 어느 동 텐트를 가도 먹거리가 지천이다. 음식의 종류는 다 거기서 거기.

육개장에 부침개, 떡, 술, 머리 고기. 김치에 과일, 풍악이 울리고 함성이 오가고 부천시가 축제로 떠들썩했다. 동마다 각기 다른 체육복을 입고 선수들을 환호하며 우승을 차지하려는 응원전은 더욱 격했다.

10월 1일 부천시민의 날 체육대회 풍경이다. 부천시의 주관으로 각 동사무소의 동장님과 통장님, 단체의 힘으로 운영이 되었다. 나는 심곡 3동 부녀 회장직을 맡고 있었으니 큰 행사(체육대회나 경로잔치 동 단위 부천시 어머니 합창대회) 등이 있을 땐 주로 음식 담당을 맡아 몇백 명의 손님을 치렀다. 각통 부녀회장들은 우리 집에 모여 며칠간 음식 준비에 바빴다. 주로 소머리(3, 4) 개를 삶아 육개장을 끓이고 수육으로 썼다.

'새벽종이 울렸네, 새 아침이 밝았네' 새마을 노래가 울려 퍼지면 새마을 옷으로 갈아입고 크고 작은 봉사를 도맡아 하다시피 한 새마을 지도자와 새마을 부녀회장들이 손발을 맞춰 행사했다. 거리 청소, 벽보 떼기, 폐품 수집, 절미 저축 운동, 꽃길 가꾸기, 불우 이웃 돕기, 방역 등, 이루 말할 수 없는 봉사를 해 왔다.

수련대회와 연수, 한 달에 한 번 전국적으로 열리는 반상회 참여를 통해 주민들의 의견을 수렴해 활동했다. 지금 복지관 건물이 옛날 시청이었다가, 구청으로 바뀌고, 또 복지관으로 바뀌어 노인들 여가의 장이 되었다.

교육이 참 많았다. 교육생들을 모시고 내 집처럼 드나들었던 이곳을 지금은 안정된 노년을 위해 드나들고 있다. 그땐 주로 여성 계몽 운동으로 인원을 동원해 보다 나은 대한민국을 위해 밤낮없이 뛰었던 기억이 새롭다. 격세지감을 느꼈지만, 열심히 살아왔기에 오늘이 있지 않나 싶다.

시장상을 비롯해 여러 종류의 상장이 너무 많아 이사하면서 정리를 했다. 도지사상, 내무부 장관상, 국무총리상까지 공적으로 받았다. 그땐 오로지 부녀회장의 사명감으로 새마을 운동에 적극 동참해 활동했던 그 시절이 지금은 옛이야기 같지만 그땐 그랬다.

말할 수가 없었다
아니 말해 버렸을 수도 있다

우리 집에 젊은 새댁이 이사를 왔다. 아직 돌이 지나지 않은 예쁜 딸과 함께 내가 가게에 일하러 갔다 오면 우리 집 안일도 잘 살펴 주는 예쁜 새댁이었다. 신랑은 마른 편에 사람 좋은 충청도고 신부는 강원도라 순수했다. 그때 나는 셋째를 임신해서 만삭이었다.

병원 갈 틈도 없이 집에서 셋째를 낳았다. 새댁이 그 수발을 다 들어 주고 산후조리까지 맡아서 다 해주었다. 너무나 고마웠다. 우리 집에 살면서 하는 행동도 이쁘고 살림도 야무지게 잘해서 더 나은 집을 얻어 이사를 한다고 했다. 그때 새댁네도 둘째 아들이 태어났다. 오누이를 키우며 잘 사는 모습이 대견하고 예뻤다. 조금 먼 거리긴 하지만 종종 만날 수 있었다. 그러나 어찌하고 사는지는 몰랐다. 내 눈에는 좋은 기억만 있고 신랑이 성실하니 집도 마련했을 거란 생각과 고마운 마음뿐이었다.

세월이 많이 흘렀다. 우연이 길에서 그 새댁을 만나게 되어 너무 반가웠다. 애들도 잘 자라고 작은 빌라도 장만 했다고 해서 기뻤다. 그때, 예기치 못한 돈 얘기를 꺼내었다. 나는 이유 불문하고 항상 고마운 마음만 있었기에 거금을 선뜻 내주고 말았다. 그리고 며칠만 쓴다는 사람이 자취를 감추어 산다는 집을 찾았지만 없었다. 그 이후로 지금까지 소식을 알 수 없지만, 내 마음은 가정을 잘 이루어 자식들과 행복하게 살아 주기만 빌 뿐이다.

그 돈이 하나도 아깝지 않았다. 그 새댁을 아는 사람을 만나도 물어보지 않았지만, 그 사람들에게서 들은 얘기는 있다. 착하고 고마운 얘기만 들려주고 돌아서는 내 마음이 씁쓸했다. 내가 아는 좋은 사람으로 남아주길 바라며 고마움과 맞바꾸었다고 생각했다. 이제는 말할 수 있다. 아니 내 마음속에선 이미 말해 버렸을 수도 있다. 그 옛날에.

부디 잘 살아다오.

오늘 더 활짝 핀 나

무엇보다도 활기차게 움직일 수 있어서 좋다. 마치 꽃들이 햇살과 함께 한층 더 아름답게 피어나듯, 내 안의 활력이 넘치며 세상을 만끽하고 있다. 그동안 내면에서 숨겨왔던 열정과 그리고 창조적인 재능들이 한층 빛나며 내 앞길을 밝혀주리라 생각한다.

시간은 계속해서 지나가지만, 확신하는 건, 이 순간처럼 자유롭게 웃으며 세상 모든 것을 받아들일 수 있다는 것이다. 오늘이란 날, 그저 숨 쉬고 있다는 것만으로도 충분하다.

나에게 책쓰기란

나에게 책쓰기란, 마음속 깊은 곳에서 울려 퍼지는 이야기들을 글로 옮겨낼 힘과 열정이 있었으면 좋겠다. 세상에 내 이야기를 전할 수 있다면 더 많은 사람의 마음에 닿아서 위안과 감동으로 남길 수도 있을 테니까.

작품 하나하나마다 내 안의 감정과 생각, 경험을 담아 진짜 의미 있는 글을 쓸 수 있을 것 같아서 무척 설렌다. 나에게 책 쓰기는, 새로움을 여는, 내 안의 세계와 함께 걷는 동반자다.

내가 작가라면

　내가 작가라면, 내 안의 세계를 표현하여 그 속에서 나만의 이야기와 감정을 담아 독자들과 함께 공감할 수 있었으면 좋겠다.

　작품마다 주위를 아우르며 많은 사람과 소통할 수 있는 메시지를 나눌 수 있는 장이라 더욱 조심스럽다. 꿈을 현실화 시킬 수 있는 날이 오길 기대하며, 내가 작가라면, 마침표를 중요시하는 긴 여행을 할 것이다.

아내가, 남편이 된다는 건

아내가 남편이 된다는 건, 서로의 역할을 바꾸어 모자람을 채우며 역할의 중요성을 나눌 수 있는 계기가 될 것 같다. 소중한 동반자를 만나서 모든 순간을 서로의 곁에서 지켜주며 함께 했던 세월의 어려움에서 서로를 위해서 힘이 되어주었던 삶. 그런 일상에서도 불평과 불만을 해소할 수 있는 계기라 좋은 제안 같다.

의견이 충돌될 땐 나도 남자로 태어났으면 얼마나 좋았을까 하는 생각을 해본 적이 있다. 식구들 밥걱정, 빨래 청소 시장 보기에서 해방될 수 있으니까. 그러나 막상 현실에 부딪치며 아내의 자리를 놓고 싶지 않다.

남편은 아내를 아내는 남편을 동등한 입장으로 마주할 때 행복한 보금자리에 편안한 삶이 안착하지 않을까? 어떤 상황이 와도 자신감 있게 당당하게, 가족을 지켜주는 남편과 아내의 관계를 존중하는 삶이 되었으면 한다.

엄마가 아내가 된다는 건

엄마가 아내가 된다는 건 소중한 동반자로 다시 만나게 되는 것은 엄마가 지켜온 가장 소중한 사람과 아내의 역할이 서로 공존하며 새로운 질서가 시작하게 된다.

아내의 위치와 엄마의 위치가 바뀐다 해도 함께하는 가족들은 변하지 않으리라. 서로의 곁에서, 어려움에서도 서로를 위해서 힘이 되어 주는데 변함이 없을 테니까

우리 삶은 엄마이든 아내이든 어떤 상황이 와도, 자애로운 엄마와 사랑스러운 아내다움을 유지하며 품위를 지켜 나가는 게 최선이라 생각한다.

부천에서 살고 있습니다

원미산 산책길이 정겨운 부천에서 살고 있다. 1975년 3월 초순이었다. 개봉동에서 부천으로 이사를 왔는데 시골 그 모습이었다.

시로 승격은 되었지만, 부천 북부역엔 작은 개울이 흐르고, 논과 밭, 옹기 가게도 있었다. 한가운데로 물이 흐르고 양옆은 도로였다. 중간중간에 다리를 놓아 차와 사람들이 이동했다. 우리 아이들이 개천에서 물고기를 잡아 오기도 했다.

지금은 없어졌지만, 행사가 있을 때 빌려 쓰던 중앙극장이 가장 큰 건물이었죠. 아이들과 영화 관람을 하기도 했고요. 복숭아가 지천이라 깡시장(도매 시장이었으나 현재는 없음)에서 박스로 사다 먹었다.

우리는 슬레이트 지붕으로 지어진, 마당에 펌프가 있는 집에 새 들어 살았다. 수도가 들어오지 않아 날마다 펌프로 물을 퍼서 사용했다. 우리 집은 전기가 들어왔지만, 벽돌 공장이 있는(부천 전문 대길 도로가 개통되기 전) 아래쪽엔 전깃불도 없던 시절이었다. 개발이 한창때라 노는 땅이 많아 고구마 농사와 들깨도 심어 먹었다. 그런 부천이 급속도로 발전하여 거대한 도시가 되었다.

부천대 주변에 변전소가 있던 지금은 옮겨 없어진, 심곡 2동에서 나의 일상이 펼쳐지고 있었다. 그땐 전화기가 있는 집이 거의 없었고, 백색전화와 청색전화가 있었는데 백색전화는 부잣집 전유물로 사고팔던 때였다. 부천 전화국이 개통되면서 우리도 전화를 신청해서 쓰게 되었다. 반장일을 보고 있는 우리 집으로, 이웃 친척들의 전화가 걸려 오면 부르러 다니던 기억이 생생하다. 그때를 회상하면 엄청난 과학의 발전에 놀라지 않을 수가 없다.

매일 아침 창밖으로 보이는 경치와 함께, 새로운 하루를 시작하며 늘 설렘과 기대감으로 가슴이 벅찼다. 비만 오면 누수로 물바다가 된 심곡천 일대의 복개 공사와 굴포천의 정비로 웬만한 비에는 끄떡없는 부천, 내 삶의 여정이 소롯이 담겨있는 문화도시 부천의 기상과 함께 살아온, 제2의 고향에서 꿈을 이루며 살고 싶다.

꿈이런가

유이순

작가 이야기

그냥 삶이 중요해졌다.
지나온 이야기 중 선명하게 나오는 것도 있지만
희미한 추억도 있다.
놓치기 쉬운 것들을 모아놓고 싶었다.
그냥 생각나는 대로 나를 찾아보기로 했다.
아직은 두렵고 서툴지만, 천천히 기억을 풀어보고 싶었다.

새소리

찌구 찌구 찌찌구
나뭇가지에 앉아 앉아서 친구들을 부른다.
꼬리를 까딱까딱하며 소리높여 부른다.
심심해서 아니면, 즐거운 일이 있는 걸까?
무슨 이야기를 하고 싶길래 저렇게 목청 높여 친구들을
부르고 있을까?

나도 그들과 이야기 하고 싶다.
자유롭게 날아다니며 이곳저곳의 신기하고 재미있는
이야기를 듣고 싶다.

그리운 냄새

돌아가신 지도 20년이 되었는데도 엄마의 냄새가 그립다. 다섯 남매의 막내로 자란 나는 철이 들 나이인데도 엄마의 젖을 만지고 잠이 들곤 했다. 엄마의 품속에서 파묻혀서 자는 잠은 세상 어디에도 없는 행복한 잠이었다.

엄마에게는 달큰하고 향기로운 냄새가 아니라 약간 시큼하고 텁텁한 냄새가 난다. 설거지를 마치고 앞치마에 손을 닦으면서 누룽지 긁어서 내오시는 엄마의 냄새는 구수하다. 질리지 않는, 마음이 편안해지고 위로를 받는 냄새이다.

나도 그리운 그 냄새를 품고 싶다.

짝사랑 맛

양지쪽 앉아 쑥을 뜯는다.
손톱 밑이 까맣게 물이 든다.

물에 살랑살랑 씻어
밀가루에 달걀 툭, 우유 한 줌
기름 휘리릭 지글지글
펜에 쑥 전을 부친다.

쌉쌀하고 고소한 맛
단발머리 풋내나는 짝사랑의 맛
손톱 밑이 까맣다.

꿈

초등학교 3학년 10살 때 이야기다. 학교 강당에는 새까맣고 큰 피아노가 한 대가 있었다. 우리가 어쩌다가 강당을 가게 되면 멀찌감치 떨어져서 바라만 볼 수밖에 없었다. 굳게 닫힌 건반과 도도함과 새까맣고 매끄럽게 반들거리는 큰 자태는 가까이 갈 엄두를 내지 못했다. 어느 날 드디어 그 피아노를 가까이서 볼 수 있는 기회가 왔다. 음악 시간이었다. 아이들의 노래를 듣고 평가하는 시간으로 선생님은 우리를 음악실로 데리고 갔다.

가슴이 떨리고 흥분된 마음으로 들어가니 큰 방 한 곁에 그 당당한 모습의 피아노가 떡하니 놓여있었다. 강당뿐만 아니라 음악실에도 있었다. 키가 작은 나는 다행히 가까이서 그 모습을 볼 수 있었다. 선생님이 덮개를 열고 위에 앉은 빨간 천을 걷어내자, 상앗빛 반짝이는 흰 건반과 점점이 검은 건반이 드러났다.

"아, 에, 이, 오, 우 " 선생님의 피아노 소리에 맞춰 아이들은 신나고 크게 불렀다.

선생님의 하얗고 가느다란 손이 건반 위에서 마치 춤을 추는 모습은 내가 알고 있는 짜증을 잘 내던 그런 사람이 아닌 천사와 같은 모습이었다.

풍금으로만 부르던 노래가 청량하고 구슬이 굴러가는 듯한 피아노 소리에 옆 친구도 소리 높여 부르며 나를 보았다. 나도 웃으며 따라 친구의 장단에 몸을 이리저리 흔들며 불렀다.

그다음부터는 한 사람씩 선생님의 피아노 옆에 서서 좋아하는 노래를 부르는 차례이다. 번호를 부르면 나와서 반주에 맞춰 노래를 불렀다. 순번이 뒤에 있는 나는 가슴을 졸이며 어떤 노래를 불러야 선생님께 칭찬받을 수 있는지 수만 가지 노래를 떠 올리다가 지우고 또 올리고 지우고를 몇 번을 했다. 순번이 가까이 올수록 얼굴은 상기되고 손에는 땀이 묻어나왔다. 앞에 친구들이 무슨 노래를 불렀는지 도통 생각이 나질 않는다. 실수하지 않게 노래 가사를 외우고 혼자 중얼거리기도 했다.

그러다가 어느 틈에 선생님은 기본음만 한꺼번에 꽝 쳐주고 혼자 부르게 했다. 40 명이 넘는 아이들을 일일이 반주하시기에 너무 힘드셨는지 간단하게 평가하셨다. 그건 아니지, 아닌가? 내가 이렇게 마음 졸이며 선생님의 반주를 기다리고 기다려서 멋진 나의 노래 솜씨를 보아주셔야 할 텐데….

망한 마음에 선생님을 쳐다보니 천사가 아닌 피로한 기색이 역력하신 모습에 나는 맥이 스르르 풀렸다. 왜 이런 일이 나에게 일어났는지 자책하고 있을 때 순서가 돌아왔다.

"깊은 산 속 옹달샘 누가 와서 먹나요?"

기어가는 목소리로 부르고 자리에 앉으니 나름 잘 부른다고 생각했는데 못 보여준 아쉬움과 선생님의 서운함으로 눈물이 왈칵 나왔다. 친구들이 볼까, 시간이 끝날 때까지 책상에 엎드려 있었다.

고학년이 되어 피아노 운지법을 배우게 되었는데 열심히 연습했다. 오른손 왼손 일 번 손가락으로 '도'를 치고 두 번째 손으로 '레'를 치고…. 벽에 양손을 대고 손가락을 움직이기도 하고 입술에 손가락을 번갈아 가면서 연습했다. 나는 피아노를 잘 치는 선생님 되어야겠다고 생각했다. 선생님이 되면 끝까지 아이들에게 반주에 맞춰 노래를 부르게 하겠다고 다짐했다.

68년 3월. 나는 화성시에 있는 개울이 8개나 가지고 있다는 이름을 가진 시골 작은 초등학교 교사로 부임을 했다. 개나리색 노란 투피스에 연두색 코트를 입고 학교 정문을 들어설 때 설렘과 약간의 두려움이 있었지만 당당하게 발을 내디였다. 서울에서 온 처녀 선생님이 뽀얀 얼굴에 화사한 옷을 입고 운동장에 들어서자, 교무실에 있던 선생님들이 내다보시던 모습이 지금도 눈에 선하다. 나는 정말 막 병아리 선생이 된 것이었다.

5학년 3반, 서울의 선생님을 보고 신기해하는 우리 반 아이들의 눈을 잊을 수가 없다. 때가 묻지 않고 순수해 보이는 그들에게 그만 사랑을 느꼈다. 막내인 나에게 동생들이 생긴 것 같았다. 좋은 친구와 선생님이 되고 싶었다. 학교에 없는 피아노를 잘 치는 그런 선생님은 되지 못했지만, 사방치기와 고무줄놀이도 같이하고 음악 시간을 즐거워하는 선생님이 되었다.

그곳에서 자취하면서 아이들에게 많은 것을 배웠다. 퇴근 후 아니면 집에 안 간 일요일에는 아이들과 함께 들로 다니며 나물의 종류와 캐는 방법도 가르쳐주고 농번기에는 푸성귀가 가득한 새참을 얻어먹기도 했다. 산에 가면 어느 곳에 고사리와 버섯이 자라고 있는지, 산딸기와 보리수의 열매를 골라 먹는 법도 알게 되었다. 학교를 벗어나면 그들이 나의 선생님이 되었다.

책가방이 귀한 때라서 큰 보자기에 책과 도시락을 둘둘 말아서 양쪽 귀퉁이를 길게 하여 책가방을 대신했다. 남자아이들은 그것을 어깨에 둘러메고 여자아이들은 허리에 차고 달릴 때는 달그락달그락 필통 소리가 났다. 멀리서도 아이들이 오는 소리를 알 수 있었다. 나이가 또래보다 두 살 정도 더 먹고 어른스러운 반장의 이름과 시골 아이답지 않게 흰 얼굴의 예쁘장한 부반장의 이름을 지금도 기억하고 있다.

풍족하지 않지만 때 묻지 않은 아이들의 모습은 나를 그곳의 자연과 동화시켜 버렸다. 졸업 후 20살 되던 해에 집을 떠나 처음 혼자 살게 되었고 아이들과 만난 그때를 내가 가장 행복했던 시절이었다.

몇 년 전 21살 어린 나이 초임지의 아이들이 이제 60살이 넘은 할머니가 되어서 나를 찾아왔다. 부반장이었던 그 아이는 목사님의 사모가 되었고 같이 온 다른 친구는 결혼해서 그곳 고향에서 살고 있다고 했다. 그때 나의 모습은 시골에서 보지 못하던 친구 같은 발랄한 서울 선생님이었다고 추억을 이야기했다.

그 후 연락도 나누기도 했다. 지금도 가끔 그곳에 사는 제자가 직접 기른 콩이며 참깨, 도토리 가루 등을 가끔 보내올 때면 뿌듯하기도 하고 가끔 그때의 거침없고 철부지 선생님 노릇을 한 내가 부끄럽기도 행복한 사람이라고 생각한다.

나의 큰 소원, 꿈이 이루어졌다.

명륜동 가는 길

번잡한 대학로 벗어나
꼬부랑 골목에 돌아서면
모퉁이마다 추억이 숨어있는 길

사방치기 고무줄놀이
또래 꼬맹이들 자글자글
웃음소리 끊이지 않던 길
그때는 기쁨이 피어나는 골목이었다.

삐딱하게 열린 문틈 사이로
타각 탁 군불 지피는 소리
구수한 밥 짓는 내음

지금은 어른 팔 한 뼘 길이만큼 좁고
텅 빈 적막만 내려앉은 골목
어린 친구들 모두 떠나고
부스스한 반백의 머리의 나그네 되어
구부정한 어깨 위로
그리움이 내려앉는 길

보통의 기적

희뜩거리다 넘어져 무릎뼈가 깨졌다.
수술실로 꼼짝없이 끌려 들어가
기도문을 몇 마디 외우다가 그다음은 검은 암전

낯선 천장, 사방이 하얀 벽
메케한 소독약 냄새와 찌르는 듯한 통증
붕대로 칭칭 감은 통나무같이 무거운 발
병원 로고 박힌 눅눅하고 후줄근한 환자복
무거운 정적과 혼자라는 서늘함

덩그런 병실 간헐적인 신음
유리창으로 무심한 구름과 별이 기웃거리고
창을 두드리며 위로하던 빗방울은
그렁그렁 매달리다 한 줄이 되고
다시 두 줄이 되어
내 마음처럼 하염없이 흐른다.

걷고 서고 습관처럼 해오던
당연한 것을 스스로 하지 못하고
꼼짝없이 눕거나 스스로 움직일 수 없을 때

보이지도 느끼지도 못했던 보통의 기적이
항상 곁에 있었음을 새삼 깨닫는다.

고통은 오만했던 나를 부끄럽고 겸손하게 만든다.
오늘도 기적 같은 보통의 날을 간절히 바란다.

비 유감
part.1

나는 비 오는 날을 좋아했다.

우산 위로 떨어지는 빗방울 소리를 생각 없이 듣는 것이 좋고, 고인 웅덩이를 자박자박 소리 내 걷는 것도 좋아했다. 우산을 펼쳐 담 한편에 펼치면 나만의 작고 아늑한 그 공간이 좋았다. 처마 밑으로 숨어서 주워 모은 사금파리에 떨어지는 비를 모으며 이 그릇에서 저 그릇으로 옮기며 꽃잎이나 이파리로 맛있는 음식 만들어 놓고 놀기 좋아했다.

우리 동네는 포장되지 않는 곳이라서 우산, 장화, 우비는 필수 장비였으나 식구가 많은 그 시절에는 그 모든 것을 가지고 있기는 힘든 시기였다. 그때는 찢어진 우산을 들어도 창피하기는커녕 자랑스럽기까지 했다. 그런데 어머니께서 어린이날 선물로 검은색이 아닌 빨강 장화와 노랑 비옷을 선물로 사주셨다. 너무 좋아서 아이들 앞에서 새 우비와 장화를 빨리 자랑하고 싶은데 그렇게 기다리던 비는 오질 않았다.

저녁이 되면 "엄마, 내일은 비 와요?" 아침에는 이불 속에서 비 오는 소리가 들리나 가만히 귀 기우이곤 했으나 내 마음을 모르는지 짓궂게 비는 정말 오지 않았다. 속절없이 부엌 담벼락 한구석에 걸려있는 노랑 비옷을 만지작거리다 그냥 학교에 가곤 했다.

그렇게 내 속을 태우며 많은 시간이 흘렀다. 그러던 어느 날 아침에 까무룩 하게 잠이 깨었는데,

"아이, 비가 왜 와."

오빠의 볼멘소리가 총알같이 귀에 박혔다. 나는 이불 밖으로 용수철같이 튀어 나갔다. 드디어 비가 왔다. 그렇게 기다리고 기다리던 비 오고 있었다.

"오늘 비 오면 소풍 못 가잖아?"

오빠의 얼굴은 벌써 터질듯한 울상이다. 아뿔싸! 하필이면 봄 소풍 날에 비가 오다니. 창경원으로 소풍 가서 동물원 구경하고 놀이기구도 탈 생각이었는데 너무 허무했다.

새 우비와 빨강 장화를 신고 있었지만, 마음은 이미 구겨진 마음으로 하나도 반갑지 않다. 시무룩하게 입을 삐쭉하게 밀고 책가방을 메고 학교에 간다. 새로 산 장화로 애꿎은 웅덩이를 벅적벅적 힘주어 물탕 질을 해댔다. 바짓가랑이와 양말을 젖는 것을 아랑곳하지 않고. 정말 우울한 소풍날이었다.

*창경궁이 예전에는 창경원으로 동물원과 놀이기구가 있어서 서울 사람들은 물론 모든 사람들의 유일한 유원지였음.

비 유감
part.2

　　남자 친구와 데이트가 있는 날이다. 하늘은 구름 한 점 없는 더할 나위 없이 화창한 날씨다. 대학에 들어와서 처음으로 데이트 신청을 받은 설레는 마음을 감출 수가 없었다. 일찍 일어나 전에 안 하던 화장을 시작했다. 화장이래야 기본 화장인 파운데이션에, 고등학교 졸업 선물로 받은 하나뿐인 루즈가 전부였지만 서툰 솜씨로 얼굴을 다듬었다.

　　얼마나 바뀌었는지 모르지만, 이것도 마음에 안 들고 저것도 마음에 들지 않았다. 그래도 머리 세트를 조심스럽게 말고 내가 좋아하는 꽃무늬 원피스를 입고 나니 완벽했다.

　　내가 이렇게 소란을 떨다 보니 옆에 있는 친구가 선뜻 자기의 신발을 준다고 했다. 자기가 안 신는 구두인데 나에게 준다고 했다. 다행히 치수가 맞아서 신기는 했지만, 운동화 바람으로 다니던 나에게는 구두가 낯설었다. 구두 안에 얌전히 있던 발가락도 신기한지 이리저리 움직이는 통에 어설픈

걸음으로 걸었다. 그러나 가죽 구두의 위력은 대단한지 초년 생의 모습을 조금은 당당하게 만들었다. 모든 것이 완벽했다.

남자 친구를 만나서 어떤 이야기를 했는지 지금은 생각 이 나지 않지만, 억압당한 발가락이 계속 나의 신경을 건드렸 다. 영화를 보고 다방을 들러서 나오니 때아닌 소나기가 퍼붓 고 있었다. 우산도 준비하지 못한 두 사람은 집으로 가는 버 스정류장을 뛰어서 갔다. 차창으로 보이는 내 모습은 빗속에 축 처진 머리에 영락없는 물에 빠진 생쥐 꼴이었다. 옆을 보 니 나와 달리 그 사람은 젖은 머리를 쓸어올리며 나를 보고 웃고 있는 모습이 너무 멋져 보였다. 너무나 처참한 꼴은 나 에게만 있었다.

차에서 내리자, 비는 멈추었지만, 고인 웅덩이를 손을 잡 고 건넜다. 비에 젖지 않게 조심스럽게 걸었는데도 억수 같은 비에 그만 푹 젖은 신발의 앞부분이 악어 입처럼 쩍 벌어지 는 것이 아닌가? 그때 놀라 어쩔 줄 몰라 하던 그 친구의 얼 굴을 볼 수가 없었다. 집 가까이에서 헤어지며 참담한 마음을 이루 말할 수 없어 대충 인사를 하고 헤어졌다.

낭패한 마음에 철버덕거리며 구두를 끌고 집으로 돌아오 며 옆에 보이는 쓰레기통에 처넣으면서 중얼거렸다. '내 주제 에 무슨 가죽 구두인가?' 나의 두근두근 요란법석인 첫 데이 트를 망하게 한 것은 다름 아닌 소나기였다.

친구와 소사 복숭아

　새벽 5시가 좀 넘어서 휴대전화가 자지러지게 울린다. 친구가 우리 집 가까이 왔다는 뜻이다. 급히 옷을 대충 걸치고 나가니 오랜 친구가 남편과 함께 왔다. 차창을 열고 친구의 남편은 특유의 선한 웃음 띠고 인사를 한다. 예전부터 알고 지냈지만, 얼굴 본 지가 꽤 오래되어서 반가운 마음에 나도 같이 손사래를 치며 반가워했다. 트렁크를 열고 복숭아 한 상자를 건넸다. 얼떨결에 받아 들고 고맙다는 인사도 제대로 못 했는데 친구는 휭 떠났다.

　집으로 들어와 보니 소사 복숭아 상자다. 예전에는 복숭아 하면 소사 복숭아였다. 하지만 요즘 시장에는 어느 틈에 다른 곳에서 들어오는 잘생긴 복숭아로 바뀌었다. 부천에 여전히 복숭아밭이 있는지 생각도 못 했다. 오랜 친구는 남편의 지인이 복숭아밭을 운영하고 있어 친구들과 나누어 먹으려고 여러 상자를 미리 주문했다고 했다. 들어오자마자 단숨에 복숭아 하나 집어 뽀얀 털을 물로 대충 씻었다. 발그레한 색깔의

껍질을 술술 벗기고 한 입을 깨물어 보니 단물이 줄줄 흐른다. 얼굴이며 옷 앞자락이 젖는 것을 아랑곳없이 게 눈 감추듯 순식간에 하나를 먹어 치웠다. 예전의 그 잊지 못할 추억의 맛을 선물한 것이다.

소사 복숭아를 마음껏 먹어 본 지가 얼마나 되었을까? 작은 언니가 살고 있는 소사에 가면 시냇물도 흐르고 성주산 주변에 포도밭과 복숭아밭이 있는 한적하고 조용한 시골이었다. 복숭아 철이면 언니는 깡이라는 큰 시장에 가서 광주리에 반 접씩이나 되는 복숭아를 사 왔다. 식구들이 너 나 할 것 없이 우물가에 둘러앉아 하나씩 씻어서 그냥 먹었다. 마치 누가 많이 먹나 내기나 하듯이. 종종 복숭아의 솜털 때문에 팔과 얼굴에 따갑고 가렵기도, 얼굴이 번들거리며 흐르는 단물을 주체하지 못했다. 서로의 몰골을 마주 보고 웃다가 다 먹은 후 우물물을 퍼서 얼굴을 후다닥 닦으면 여름의 무더위도 그렇게 쓰윽 갔다. 정말 정답고 즐거운 추억 풍경이었다.

세월이 감에 따라 구름 연기 날리던 기차가 전철로 바뀌고 복숭아밭은 회색빛 아파트가 들어서고 삭막한 빌딩 하나, 둘 세워졌다. 많은 사람이 모여 사는 빽빽한 아파트 단지와 거리를 채우는 자동차를 볼라치면 숨이 턱 막힌다. 비가 끊임없이 내리는 장마철, 우중충한 날씨에 정 많은 오랜 친구 덕분에 맛있는 추억의 복숭아를 먹으며 예전으로 돌아가 보는 행복한 시간이었다.

심취하다

박완서 작가, 불혹의 나이에 나목으로 등단한 늦깎이 작가다, 내가 처음 그분을 알게 된 것은 '그 많던 싱아는 누가 먹었을까?'라는 책 제목을 보고서 시작했다. 싱아는 세모 모양의 잎사귀를 가지고 가시가 다닥다닥 붙은 붉은 줄기를 가진 1년생 풀이다. 산에 갈 때면 동무들과 같이 따먹었던 상큼한 신맛으로 침을 고이게 하는 풀이다. 질겅질겅 씹기도 하고 신맛을 빼고는 줄기는 뱉기도 하며 산딸기와 함께 좋아하던 먹잇감이었다.

책을 읽어갈수록 자연스럽게 나의 옛날이야기를 들려주는 것 같고, 매끄럽게 줄거리를 이어서 써 내려간 그분의 글에 심취했다. 책을 읽기 2편인 '그 산은 정말 거기 있었을까'를 읽으면서 대갓집의 고향을 떠나서 척박한 서울로 떠나야 했던 자전적인 이야기와 평범한 소재를 재미있게 풀어가는 글로 표현하며 눈을 감으면 금방 펼쳐질 것 같은 풍경을 화가처럼 그려냈다.

그분은 여류 장편 공모에서 40살의 나이로 첫 작품 '나목'으로 당선되어 등단하게 된다. 전쟁 시절에 만난 힘든 피난살이와 PX에서 일을 하면서 만나게 되는 슬픈 이야기 박수근 화가를 젊은 아가씨의 감성을 잘 그려냈다. 너무나 행복이나 희망이라고는 없었던 처절했던 시절에 아름답고 순수한 아가씨의 슬픈 이야기가 너무 감동적이었다.

그 후 박수근 전시회에서 '나목'이라는 동명 작품을 보고는 한참을 박완서 인양 주변을 돌아보기도 했다. 시멘트같이 투박하고 거친 바닥에 쓸쓸하게 서 있는 큰 늙은 나뭇등걸과 두 여인을 그린 화가의 어떤 마음인지 둘러보기도 했다. 아마 그분도 이 그림에 많은 아픔을 맞이했으리라 생각이 드니 나의 마음 한구석이 아릿해 온다.

나이가 드시던 것을 무색하게 80편의 단편과 15편의 장편소설, 동화 등 많은 글을 쓰시던 그분의 열정에 박수를 감사함을 느낀다.

평범하고 일상적인 소재와 경험을 세심하게 관찰하며 써내려간 그분의 글솜씨에 감탄하며 나도 그분과 같은 이야기꾼이 되어 글을 정말 쓰고 싶다.

그 산에는 아직도
아카시아 꽃이 피어 있을까

　성주산의 팔각정과 도서관이 보이는 꽤 높은 곳, 큰길을 벗어나면 숨을 헐떡거리게 하는 언덕 중간에 추억이 많은 우리 집이 있었다.

　가장 행복했던 사건은 딸 셋을 낳은 후 이 집으로 이사 온 다음 해 봄, 아들이 태어난 곳이기도 했다. 기다리던 아들을 낳은 후 가족들은 물론 동네 친구들이 집터가 좋아서 아들을 낳았다고 말들을 했다. 그 아들을 낳은 후 시아버지에게 맏며느리로 내 일생에 가장 빛나던 날이었던 것 같다.

　성주산에는 동네에서 유명한 약수가 있어서 우리 가족들은 약수터를 자주 놀러 갔다. 아침에는 약수를 물맞이하러 많은 사람이 오기도 하고 솔밭으로 둘레길을 걷기도 한다.

　여름 저녁에는 온 가족이 물통을 하나, 둘씩 들고 약수터로 올라간다. 줄줄이 늘어선 일찍 온 사람들의 물통 뒤로 나란히 놓고 아이들은 아래 배드민턴장으로 닦아 놓은 넓은 운동장에서 술래잡기, 그림자밟기도 하고 줄넘기도 하며 놀기도 한다. 둘째는 가져온 작은 수건 조각을 들고 약수가 흐르는 작은 물줄기에 비비고 두드리고 빨래하는 시늉을 하며 논다. 놀다 지치거나 출출하면 약수터 위에 있는 매점으로 달려가서 시원한 아이스크림이나 새우깡을 먹으면서 우리의 물통 순서가 오기를 기다린다.

시아버님을 모시고 사는 생활은 녹록하지 않았다. 이렇게 잠시 나와서 의자에 걸터앉아 즐겁게 노는 아이들의 웃음소리를 듣는 것도 작은 기쁨이었다.

마침내 우리 순서가 되면 기다렸다는 듯이 너도나도 한 모금씩 먼저 둘러 마시고 작은 물줄기를 한 방울이라도 놓칠세라 받아서 네 통에 조심스럽게 담는다. 많이 나오지도 않는 약수를 작은 쪽박으로 쪼르륵 쪼록 받아 통으로 채워지는 소리가 청량하게 들린다.

작은 수레에 가득 찬 물통을 싣고 제법 경사진 내리막길에 쏟아질까, 아이들 넷이 조심조심 내려오면서도 뭐가 그리 재미있는지 웃음도 조잘조잘 이야기가 끝이 없었다. 그 사이 주위는 어두워지고 달빛이 없는 날이면 아이들은 비명을 지르기도 하면서 서로 놀래주기도 하면서 집으로 돌아온다.

우리 집의 가장 멋진 추억을 뽑자면 성주산에 아카시아가 흐드러지게 피는 늦은 오월이다. 아침에 일어나자마자 창문을 열면 달콤하고 향기로운 꽃내음이 기다렸다는 듯이 잽싸게 획 밀고 들어와 내 코를 간지럽혔다. 스멀스멀 방마다 돌면서 온 집안을 아카시아 내음으로 꽉 채운다. 내 옷에서도 달큼한 냄새가 배는 것 같은 느낌이 들었다.

특히 달빛에 비친 산허리에 핀 아카시아꽃은 마치 눈이 하얗게 덮인 것 같은 착각이 들게 했다. 달빛에 희끄무레하게 보이는 눈 무더기가 뭉쳐있는 것 같고 아릿한 향기가 이 산동네를 뒤덮고 환하게 비추는 광경은 장관이었다.
나의 어린 시절 아카시아꽃 같은 향긋한 추억이 있었다.

우리 집 뒤에는 서울대학교 동산을 끼고 있었다.
조무래기 또래 친구들과 모여서 동네 뒷산에 올라 작은 나무 밑으로 들어가 풀이나 잎이 큰 떡갈나무 잎을 골라 나만의 아늑한 본부를 만든 다음, 풀이나 꽃을 따고 깨진 사금파리를 벽돌 위에 차려놓고 소꿉놀이하고, 숨바꼭질도 했다.

여귀풀꽃의 꿀을 빨다가 어처구니없이 잡힌 등껍질이 반들반들 윤이 나고 무지개 빛나는 비단 풍뎅이를 잡아, 뒤집어 놓고 "뱅뱅 돌아라, 뱅뱅 돌아라." 하며 손벽을 치면 여섯 개의 발과 날개를 펄떡거리며 제자리에서 뱅뱅 돌아가는 모습을 보고 '좋아라.' 발을 구르며 같이 어깨동무하고 빙빙 같이 돌면서 놀곤 했다.

그날도 친구들과 동네 뒷산에 올랐다. 누가 먼저 올라가나 내기하며 뛰어 올라오느라 숨을 몰아쉬고 있었다. 볼이 상기되어 빨개진 한 친구가 지천으로 피어있는 아카시아꽃을 따서 아무렇지 않게 후드득 훑더니 입에 처넣었다. 그의 생각지도 못한 엉뚱한 행동에 서로 보며 의아해하는 우리에게 해보라고 눈짓했다.

우리들은 그 아이를 따라 포도송이같이 주렁주렁 달린 탐스러운 아카시아꽃 줄기를 후드득 훑어서 입아귀에 욱여넣었다. 질겅질겅 씹으니, 첫맛은 씁쓸하여 눈을 찌푸리다 나중에는 달콤함과 향긋함이 입안 가득 퍼졌다. 먹다 보니 허기도 면하고 목마름을 어느 정도 해결해 주었다. 씹을수록 씁쌀하고 달큼한 맛이 너무 좋아 두어 번 훑어서 먹으며 이리 불룩, 저리 실룩해진 볼을 보며 무엇이 그렇게 재미있었는지 서로 마주 보며 배꼽 빠지게 웃었다.

늦게 들어왔다고 지청구하는 엄마의 말을 들어도 아랑곳하지 않고 자리에 누웠을 때까지도 남아있는 향기로 내 손가락에서 아카시아꽃이 피어날 것 같아 두 손을 꼭 잡아 가슴에 모으고 잠이 들었다. 군것질을 흔하게 할 수 없었던 그때의 정말 낭만적인 간식거리였다.

그런 아름다운 이야기는 더 이상 나에게 일어나지 않았다. 아카시아꽃을 닮아 희끗희끗해진 머리카락을 넘기며 문득문득 마음 한구석에 남은 추억을 떠올릴 때면 그 집을 못내 아쉬워하고 그리워한다.

가끔 차를 타고 지나가며 산등성이에 피어있는 아카시아꽃을 볼라치면 후드득 따서 입에 넣고 싶은 욕망을 참느라고 눈과 입을 질끈 감는다. 10년 전 아파트로 이사 와서도 가끔 그 산을 생각하면 아릿한 감정과 그리움이 공존하는 그 집이었다.

집에서 더운물과 차가운 물을 마음대로 먹을 수 있는 정수기가 있어도 그때의 달짝지근하고 약간의 산 내음이 배어있는 그 약수가 지금도 그립다. 나이 먹으니, 주름과 눈물만 많아진다.

나의 아버지께

아빠

생전 처음 아빠라고 불러봅니다. 묵직한 무엇이 가슴에 쿵 떨어지는 듯한 둔탁한 통증을 느끼네요.

당신의 막내딸, 너무 어린 나이에 돌아가신 아버지 얼굴도 그 어떤 기억이나 생각이 아무것도 없어요. 단지 오빠나 엄마에게 들은 단편적인 말만 듣고 자란 나는 항상 아버지에 대한 무한한 갈증을 느끼고 있었지요.

철이 들어 흑백사진 속에 꼿꼿하게 몸을 세우시고 단정한 검은 양복에 하얀 와이셔츠 차림의 웃음기 없는 당신의 얼굴을 제사를 지낼 때마다 보았습니다. 그렇게 당신은 어렵고 엄격한 그런 분이라 생각했지요. 그러다가 언니와 손을 잡고 웃으며 걷고 있는 사진을 본 순간 '아빠도 저렇게 웃는 얼굴이 있었구나' 생각했어요.

아빠!

혹시 나를 안고 옹알이하는 것을 보고 웃어본 적이 있으신가요? 또 걸음마를 할 때 넘어질까, 걱정하며 곁에서 손을 잡아주신 적도 있으신가요?

4살의 나이에 당신을 기억한다는 것은 불가능한 일이었지요.

'아버지' 항상 아프고 그리운 단어였습니다.

예전에 어머니께서 책 한 권을 주셨는데 그것은 아버지께서 직접 붓으로 정성껏 필사를 한 책이었어요. 중국에서부터 내려오는 여자가 임신한 후에 지켜야 할 행동과 하지 말아야 할 행동을 쓴 태교에 관한 책이었지요. 비록 한자로 쓴 내용이어서 내용을 잘 알지 못하지만, 언니와 내 것까지 세 권을 각각 써서 남기셨다는 것을 보고 가슴이 뭉클했습니다. 한자, 한자를 써 내려가신 당신의 사랑하는 마음을 느꼈습니다. 지금도 그 책을 고이 보관하고 가끔 있어요.

어린 딸을 두고 가시며 당신이 많이 걱정하셨을 막내딸은 튼튼하게 잘 자라서 큰 가정을 이루고 잘 살고 있어요.

당당한 나의 모습을 보여주고 싶고 당신의 칭찬을 듣고 싶네요.

사랑하는 아버지

이제 가까운 시간에 만날 수 있겠지요.

당신을 만나면 폭 안기고 싶어요.

See you again!

당신의 막내딸 이순

작가를 향한 작은 발걸음

이영숙

작가 이야기

나 스스로 작가라고 하기엔 아직 미흡하다고 생각한다. 오래전 친구와 공원에 갔는데 마침 백일장 대회가 있어 "우리도 한번 써볼까?" 하고 원고지를 받아 세 가지 제목 중의 하나를 선택하여 써서 제출했다.

기대도 안 했는데 운이 좋아 당선되고 그때 "아! 나도 글을 쓸 수가 있구나." 하는 마음이 생겼습니다. 복지관에서 이렇게 좋은 프로그램이 있어서 제게는 많이 배울 수 있는 특별한 날들이다. 내가 작가라면….

좋은 글을 쓴 작가들이 얼마나 많고 많은데, 나에게는 아직 부족한 것이 많다고 생각한다. 그러나 굳이 말하자면 사람

들이 읽고 또 읽어도 지루하지 않고, 어렵지 않게 읽을 수
있는 글을 쓰고 싶다.

6월

장미꽃 만발한 유월 일인일저 글쓰기 첫날이다.
첫돌, 첫사랑, 첫인상, 첫 만남
처음이라는 단어 속에는 추억이 깃들어 있다.

꽃

꽃을 사랑하는 사람들의 마음도 꽃처럼 향기롭다.
꽃은 별처럼 빛나기도 하고
호박꽃처럼 정감이 있으며 모든 이들에게 행복을 준다.
모든 꽃은 시기하지 아니하고 충실히 자기의 역할대로
피어오른다.

비

비 오는 날 노오란 수선화가 생각난다.

초등학교 시절 비 오는 날 우산도 없이 큰 토란잎을 따서 우산 대신 머리에 이고 단짝 친구와 집으로 가다가 길섶에 비를 맞으며 고결한 모습으로 웃고 있는 노오란 수선화를 보았다. 우리는 한참을 바라보았다.

수선화꽃을 좋아했던 수선화를 닮은 친구가 비 오는 날이면 그립다.

천둥·번개

여름날 소나기가 오려나? 하늘이 캄캄해지며
'우르르 쿵쾅' 번쩍 천둥 번개가 치면
이 나이에도 엄마의 품속인 양 이불속으로 숨는다.

바람

키 큰 미루나무에 바람이 걸어놓고 간 구름 하나
시골길 해 질 녘 바람 타고 들리는 워낭소리
솔솔~불어오는 잣나무 숲길에 잠시 멈춘 바람
한들한들 낮잠 자는 코스모스를 깨우는 산들바람
바람 불어 좋은 날

아침

    장맛비가 오락가락하니 오늘도 아침부터 날씨가 우중충하다. 일기예보에는 오후부터 비가 시작될 것 같은데 날씨 탓인가 감기 기운이 감돈다. 예전에 할머니가 비가 오려면 온몸이 쑤시고 아프다고 하더니 내가 어느새 그 나이가 되었다. 슬프다.

부부

괜찮아! 괜찮아! 참을 수 있어
나를 위로해 본다.
대문 옆에 핀
라일락꽃 보라색 웃음을 보내준다.
마음은 어느새 보랏빛으로 물들고
보일 듯 말 듯 보이지 않아 몰라서 말 못 하고
서쪽 하늘에 붉게 물든 노을을 보며
아직도 뿌리 깊이 남아있는 상처는 훌훌 털어버리자
작은 것의 소중함을 깨달아
처음으로
크게 웃는다
태곳적에는
평행선을 달렸지만 이젠
하나의 의미를 알게 되었다.

배우자

    엄마 품을 떠난 어린 새처럼 두근거리며 처음 만나 새로운 둥지를 틀어, 나 또한 날개를 펼쳐 나의 예쁜 어린 새들을 품었다.

    희로애락을 함께하며 반세기를 보낸 사람이 나의 남편이다. 생전 늙지 않고 살 줄 알았는데 이제는 서로 구부정한 모습 바라보며 세월이 화살같이 흘러갔지만, 나는 내 가족을 사랑한다.

손주가 태어났을 때

    손주가 태어났을 때 처음 너무나 작은 아기의 발을 보았다. 꼼지락거리는 손과 오물거리는 입술 보드라운 피붓결 가만히 만져보니 아기의 작은 손이 참으로 귀엽고 너무나도 사랑스럽다.

    조그만 입으로 하품도 하고 눈맞춤도 한다. 솜사탕처럼 부드럽고 예쁜 아기가 그 작은 손으로 한 주먹 가득한 나의 손가락을 꼭 잡는다.

꿈

나는 가끔 개꿈을 꾼다. 새벽에 잠시 선잠 속에서 신발을 잃어버린 꿈을 꾸었다. 사전을 찾아보면 이루고자 하기는 희망이나 이상 실현될 가능성이 아주 작거나 전혀 없는 기대나 생각이라고 한다.

사람들은 신발 잃어버리는 꿈은 재수 없다고 한다. 어쨌든 기분은 안 좋아도 꿈에서 잃어버린 내 신발을 현실에서 찾을 것이다. 꿈은 꿈이니까.

오페라 하우스

가끔 새벽에 일찍 일어나 동네에서 가까운 산에 오른다. 산 입구에서부터 산새들이 화음에 맞추어 반가이 합창한다.

누군가 심어놓은 길옆 쪽 밭에는 감자 고구마 들깨 토란 잎들의 흙냄새를 보내오고 산에서 불어오는 시원한 바람이 나뭇가지들을 흔들어 한들한들 춤을 추는 모습과 막 떠오른 햇살이 나뭇잎 사이로 은빛 실비단 커튼을 만든다. 자연 오페라 극장에 온 것 같아 저절로 기분이 상쾌하다.

장마가 시작되었다

연중행사처럼 여름이 되면 쏟아지는 비.

장마가 시작되면 여기저기 산사태가 나고 위태로운 담장이 무너지고 지하에는 물이 차 살림살이가 물에 잠기고 하는 뉴스를 접하게 된다. 지금은 아파트에 살고 있지만 나 역시 예전에는 반지하 단독에 살았었다. 지금은 모두 편리한 도시가스를 사용하지만, 예전에는 거의 보통 가정에서는 연탄보일러를 사용했었다.

연탄불이 꺼질세라 자다가도 일어나 지하실로 연탄을 갈러 내려갔으며 외출했다가도 연탄불이 꺼질까 서둘러 돌아오곤 했었던 그 힘들었던 시절, 월급을 타오면 한 달 정도 먹을 쌀과 사용할 연탄을 사서 지하창고에 쌓아놓으면 일단 안심이 되고 흡족했었다.

어느 날 밤새 세찬 비바람이 폭우를 동반해서 억수 같은 비가 내리더니 도로에 물이 넘쳐 우리 집 지하실에까지 물이 가득 찼다. 연탄을 꺼낼 틈이 없었다. 어찌할 도리가 없어 발만 구르며 물이 빠져나가고 연탄이 안전하기만 바랄 뿐 그러나 물 빠진 후 연탄은 모두 푹 주저앉았다.

남편은 회사에 아이들은 학교로 보낸 후 도와줄 사람이 없어서 헌 포대에 젖은 연탄을 퍼담고 온몸이 검둥이처럼 새까맣게 되어 기진맥진하며 며칠 동안 몸살을 앓았었다.

장마철이 되어 많은 이재민을 보면서 안타까운 걱정을 하게 된다. 예쁘게 내리는 비는 낭만적이지만 한편으로는 하염없이 쏟아지는 비를 막을 도리가 없어 안타깝다.

영화제

부산에 국제 영화제와 부천판타스틱영화제가 있지만 나는 가보지 못하고 집에서 TV 화면으로만 보았다. 좋은 영화는 심사 과정을 거친 후 상을 수여하고 숨겨진 명작을 찾아내기도 한다. 우리나라 배우들이 외국 영화제에 가서 많은 상을 타는 것을 보았다.

나는 가끔 영화관을 찾는다. 얼마 전 친구들과 아바타를 보고 왔다. 영화감독이며 제작자들 영화를 만드는 사람들 배우들 모두 재주가 뛰어난 천재적인 사람들이라는 생각을 하게 된다.

달콤한

오늘 아침 이웃사촌이 텃밭에서 심은 것이라며 상추, 오이, 가지, 방울토마토, 앵두를 비닐봉지에 가득 담아주었다. 나는 "앗싸! 오늘 운이 좋구나!!"하고 깨끗이 씻어서 앵두를 먹으니, 입에 달콤함이 가득하다. 때로 가끔 나누어 주는 그 마음 고맙기도 하지만 상대방을 행복하게도 한다. 나는 사람을 행복하게 해주는 사람에게 '달콤 열매'라는 애칭을 붙여 주었다.

빛이 났다

나에게는 참으로 좋은 친구가 있다. 그 친구는 남을 흉보거나 비난하거나 업신여기거나 하는 따위는 하지 않는다. 그러나 피카소의 그림 이야기도 하고 노래는 잘하진 못해도 음악을 사랑한다. 내 옆에 그런 친구가 있어서 나는 늘 즐겁다. 나이를 먹으면서 무릎도 아프고 시력도 안 좋아지고 거울 보기도 싫어진다고 하니 사는 것이 다 조금씩 비우는 것이라고 나를 보고 웃어주는 친구의 눈동자가 빛이 난다.

심취하다

"당신 참 뻔뻔해!" 남편이 한마디하고 나갔다.

내가 속이 좁은 탓인가 그 말을 쉽게 흘려보내지 못하고 되새김질하고 있었다. 내가 해주는 밥에 빨래며 무엇이든 말만하면 다해주는 나에게 할 말인가?

오히려 남편이 뻔뻔스러우면서 누구 탓을 하는지 하루 종일 그 말에 심취해서 일이 손에 잡히지 않는다. 이따가 들어오면 따져보리라.

저녁에 들어온 남편에게 따지니 허허 웃으며 당신이 나이에 비해 얼굴에 주름이 없어서 한 말이라며 표현이 잘못되었다면 미안하다며 미안해한다. 어찌 되었든 믿을 수도, 안 믿을 수도 없는 그 말이 아리송하다.

후회한다

딸이 대학 시험 칠 때였다.

남들은 좋은 대학 보내려고 학원으로 과외로 열심히 보내는데 나는 아무것도 하지 않았다. 막상 시험 때가 되니 엄마로서 자격이 매우 부족한 것 같은 생각이 들었다.

추운 날씨에도 불구하고 많은 학부모가 교문에 엿을 붙이고 간절히 기도하는 모습을 바라보며 딸이 조금 더 열심히 공부할 수 있도록 엄마로서 협조해 주지 못하여 많은 후회를 하였다.

실력이 부족한 탓에 가고자 했던 대학은 떨어지고 겨우 지방대학을 보낸 후에 내가 배운 점은 꼭 해야 할 때는 해야 한다는 것을 알았지만 너무 늦어버렸다. 지금도 부족한 엄마 때문에 원하는 대학을 못 간 딸에게 미안한 마음 그지없다.

말할 수가 없었다

　손녀가 초등학교에 입학할 때였다. 나는 처음으로 학교에 가는 손녀에게 예쁜 책가방을 사주겠노라고 약속했다. 손녀를 데리고 백화점 가방 파는 그곳으로 갔다. 공주처럼 예쁜 가방에 아이들이 좋아하는 캐릭터의 신발주머니까지 세트로 진열되어 있었다. 손녀가 직접 선택한 핑크빛 가방을 사주었고 식당으로 가서 맛있는 짜장면을 먹으며 입학을 축하해 주었다.

　가방을 메고 좋아하는 손녀를 보며 나의 어릴 적 기억이 스쳐 지나간다. 오래전 내가 초등학교에 입학할 때는 코흘리개 손수건을 접어 이름표와 함께 가슴에 달고 아버지의 자전거 뒤에 매달려 처음으로 학교에 갔었다. 시대의 흐름 탓이지만 요즘 아이들과 달리 그 시절에는 왜 그렇게 코를 흘리는 아이들이 많았는지 소맷자락이 반질거릴 정도로 코를 문지르곤 했었다. 그때는 한글을 깨친 아이들이 드물어 리본 색깔로 반을 찾아가기도 했었다.

엄마는 내가 2학년이 될 때까지 책가방을 사주지 않아 보자기에 책을 담아 둘둘 말아 허리에 질끈 매거나 네모나게 싸서 들고 다니거나 하였다. 나는 책가방 하나 사달라는 말을 할 수가 없었다. 엄마는 아버지의 적은 월급으로 많은 식구가 세끼 밥 먹는 것도 힘들어했으며 학교에 내는 사친 회비조차 제날짜에 내지 못하는 가정 형편을 어렸지만 알기 때문에 말할 수가 없었다. 가난하지만 형제들과 한 이불을 덮고 부대끼며 살아온 내 어릴 때 추억들을 생각하면 힘들게 살다 돌아가신 부모님들의 모습이 안타까이 떠오른다.

온갖 전자제품과 컴퓨터, 핸드폰, 등 편리한 세상을 살면서 지난 시절의 고생은 차츰 기억 저편으로 사라져 갔다. 요즘 아이들에게 예전에 힘들게 살았든 이야기를 들려준다면 아마도 "관심 없어요" 했을지도 모르겠다.

나에게 책 쓰기란

글을 쓰는 동안 예전의 나
추억으로 들어가 꿈속을
걸으며 생각하고 느끼는 시간이다.

나의 책 쓰기 공간에는
행복과 즐거움이 있고
혼자서 이루어 놓아야 하기에
보람도 있다.

오늘 더 활짝 핀 나

어느덧 열 번째 수업 마지막 날이라 하니 서운하기 그지없다. 만남 뒤에는 꼭 이별이 있다는 것이 싫다. 모르는 사이는 아는 사이가 되었고 아는 사이는 더 돈독한 사이가 되었던 시간들 나의 서투른 글솜씨지만 소소한 행복을 느꼈고 글을 완성했을 때 잘 썼던 못 썼던 즐거웠던 순간이었다.

뜻이 같아서 모인 친구들, 강의를 최고로 잘하신 예쁜 선생님께 좋은 기억을 남기기 위해 오늘은 더 활짝 핀 나를 만들어 나의 추억 책장에 꽂아두려 한다.

아름다운 인생

장유진

아름다운 인생

*유년 시절

나의 부모님

나의 고향은 지금의 중동(중리675)이다. 1950년 6·25사변 나던 해에 태어났다. 현재 중동이란 마을은 장말과 넘말로 장 씨 집성촌이다. 동네 장씨 성을 가진 사람은 모두가 일가 친척들이다. 아버지는 육 남매 중 둘째 아들이다. 모두가 어려웠던 시절 아버지는 딸 둘만 있는 집 맏사위로 처가살이하셨다.

아버지는 열심히 일해서 돈만 벌면 땅을 샀다고 한다. 우리 집이 중동에서 넓은 땅을 소유한 시골 부자였다. 주변이 전부 초가집뿐이었을 때 커다란 기와집 붉은 벽돌로 담을 쌓은 집은 우리 집뿐이었다. 어디를 가나 이름을 불러주기보다는 부잣집 딸이라는 수식어가 늘 붙어 다녔다. 오빠가 네 명, 언니가 세 명, 여동생 두 명으로 나는 여덟째이다. 우리 10 남매는 아버지 덕에 호강하며 자랐다. 내가 어렸을 적 중동은 사방이 넓게 펼쳐진 논과 밭으로 지평선 멀리 부평이 보였다.

부천에는 소사남국민학교와 소사북초등학교 2개였다. 나는 지금의 부천 북초등학교를 다녔다. 형제 중 유독 키가 작고 몸이 허약했다. 6·25사변 때 피난 가는 길에 비를 맞기도 하고 1·4 후퇴 때라 돌도 못 차려 주었다고 한다. 그 후로 폐렴, 중이염, 잦은 병치레를 했다고 한다. 6·25 때 먹고 살기 힘들 때라 버리고 간 아이들도 많았다고 한다.

자식 많고 농사일이 바쁜 엄마 대신 병치레가 잦은 나를 서울의 이모가 돌봐주셨던 것 같다. '넌 내가 살렸다!'란 말을 자주 하셨다. 집에 가겠다고 떼를 쓴 기억 이모부가 무릎에 앉히고 달래주던 기억이 난다. 두 살 차 셋째 언니는 건강하고 씩씩했다. 어려서부터 셋째 언니와의 라이벌 의식이 있었다. 선도 안 보고 데려간다는 셋째 언니는 미인이다. 우리 집에 오는 사람마다 예쁘다고 칭찬한다. 나는 샘이 났다. 엄마한테 왜 사람들이 언니만 예쁘다고 하냐고 투정도 부렸다.

엄마는 "너도 꾸미면 예쁘단다."라고 말한다. 나의 열등감은 어렸을 때 생기지 않았을까 생각한다. 초등학교는 50여 분 걸어야 도착할 수 있었다.

장말 동네를 지나 먹적골동네를 지나면 언덕이 나온다. 그곳엔 보리밭이 있다. 오전반일 때는 학교 가는 애들이 있어 따라가면 안심이 되었다. 오후반일 때 나보다 큰 키의 보리가 한창일 때 그 옆을 지나가기가 겁이나 가슴이 콩닥콩닥 뛰었다. 학교 땡땡이친 고학년 남자애들이 보리밭 속에 숨어있다가 "문둥이다!" 하고 소리치면서 나온다. 그럴 때 진짜 문둥이가 쫓아 오는 줄 알고 혼쭐이 나서 앞으로 정신없이 내달렸다.

등 뒤엔 식은땀이 나고 넘어져 무릎은 깨져 피가 났다. 문둥이가 병 고치려고 사람 간 빼 먹으려고 다닌다고 했다.

어렸을 때는 문둥이를 무서워했다.

어느 날 오후반 학교 정문에 도착했을 때다. 그날따라 많은 애들이 하교하고 있었다. 내가 오후반이란 걸 잊고 하교하는 애들 따라 그냥 집으로 왔다. 엄마한테 혼이 나기도 했다.

*막내 오빠

막내 오빠는 6학년이다.

학교 전체에서 주먹이 제일 세다고 소문이 났다. 권투선수 된다고 글러브를 끼고 어린 우리에게 복싱하는 어설픈 모양새 하고 휘둘렀다. 그럴 때마다 맞을까 해서 엄살 부리고 피해 다녔다. 그런 모습을 오빠는 웃었다. 막내 오빠는 여러 명의 친구를 몰고 다녔다. 가방 들어주는 친구, 방 청소해 주는 친구, 양말을 빨아주는 친구 등 늘 친구 이름을 별명 지어서 불렀다.

엄마는 항상 커다란 보온밥통에 밥을 가득해 넣는다. 언제든 일하시다 곧바로 식사하기 위해서다. 그날따라 밖에서 일하시다 아버지 엄마는 늦게 오셨다. 식사 차리는 순간 보온밥통에 가득 있어야 할 밥이 빈 통이다. 아버지는 시장기를 못 참으신다. 드디어 아버지의 불호령이 떨어졌다. 엄마는 허겁지겁 부리나케 쌀을 씻어 밥을 하셨다. 낮에 막내 오빠가 몰고 온 친구들에게 몽땅 퍼먹게 했던 것이다. 그때만 해도 배고픈 시절이었다. 아버지는 말썽만 피우는 막내 오빠를 못 마땅해하셨다.

그러나 주변에서 인정 많고 의리 있는 사람으로 인기는 최고이었다. 특히, 여자 친구들이 좋아했던 것 같다. 율 브리너의 야성미와 존 웨인의 인정미 매력이 있는 그야말로 막내 오빠는 중동의 전설이다.

*중학교 시절

내가 학교생활을 적극적이고 활달하게 된 것은 중학교에 입학하면서다. 반에서 주도권도 잡고 엉뚱한 대답을 해서 반 애들을 웃기기도 했다. 학업에 자신감도 있었다. 시험 때마다 선생님이 만점 받은 사람 호명할 때 내 이름이 있을 때 친구들이 부러워할 때가 기뻤다. 내가 좋아하는 과목은 국어와 역사였다. 수학은 기본적인 것만 공부했다.

중학교 이 학년 신학기 때 김영자 수학 선생님이 새로 오셨다. 갓 졸업한 긴 생머리에 풋풋한 신선미가 있었다. 하루는 김영자 선생님과 마주치게 되었다. 수업 태도가 진지하다고 칭찬했다. 그 칭찬 한마디에 나는 수학을 적극적으로 공부했다.

수학은 공식만 이해하면 만점을 쉽게 받았다. 그렇게 해서 나는 수학 잘하는 애로 통했다. 김영자 선생님 이름은 실명이다. 수학 공부가 지루할 때 반 애들은 아예 책을 덮어 버리고 "이야기해 주세요."하고 소리친다. 그러면 선생님은 "알았어. 알았어. 쉬! 쉿!" 하신다.

마음의 행로, 애수 등 실감이 나게 이야기해 주셨다. 이런 광경은 다른 선생님에게 통하지 않는다.

셋째 언니는 서울로 통학했다. 흰 카라가 있는 빨간 교복이었다. 멋쟁이였다. 나도 서울로 통학하고 싶었다. 나는 권색 치마에 자주색 스웨터였다. 촌스럽다고 생각했다. 교장 수녀는 여러분이 바깥세상에 오염되지 않기를 바란다는 이야기를 자주 하셨다. 검은 천으로 길게 늘어진 수녀복을 입은 교장 수녀의 모습은 영화에서 나올법한 신비감마저 자아냈다. 이지적인 마스크에 카리스마까지 넘쳤다.

종교심이 강한 애들의 닮고 싶은 사람이기도 했다.

모범생이었던 친구들은 여고 졸업 후 수녀원으로 직행했다. 교장 수녀님의 영향이 컸다. 규율은 엄격했다. 태도가 불량하다 싶으면 가차 없이 따귀도 때렸다. 경고장처럼 ○○○ 무기정학 게시판에 누군가의 이름이 항상 올라와 있었다.

영화는 종교 영화, 쿼바디스, 바라바, 벤허 등 단체 관람했다. 교육관과 종교관이 투철했던 것 같다. 호기심이 많은 사춘기 소녀는 더 많은 것을 배우고자 더 넓은 세상을 경험하고 싶었다. 드디어 졸업반이 되었다. 초창기였던 소명여중은 본교에 진학할 것을 적극적으로 설득과 홍보를 했다. 반기를 든 애들은 하루빨리 소명 울타리를 벗어나고 싶었다. 소명 에서 원서 잘 안 써 주려고 하는 것을 셋째 오빠 도움으로 나는 서울로 통학할 수 있었다.

심취했다

소명여중은 2개 반으로 학생 수가 불과 100명 정도였다. 본교 진학 안 하고 다른 학교로 갔던 애들은 본교 진학한 애들의 관심사였던 모양이다.

아무개가 뭘 하는지 소문을 다 듣고 있던 것 같다. 내가 성당에 안 나가는 그것까지도 알고 있었다. 인생 살아가면서 종교 하나쯤은 있는 것이 나을 것 같아 세례를 받고 견진성사까지 받게 되었다.

결혼하고 아들 둘을 양육하게 되면서 생각과는 다르고 낭만적이지 못했다. 인생은 리허설이 없는 실전이다. 좀 더 철학적인 종교가 필요했다. 성당은 일 년에 두 번씩 판공성사 표가 나왔다. 부활 때와 성탄 때다. 고백할 것이 없으면 하다 못해 주일 지키지 못한 것, 기도 성실히 못 한 거라도 고백 성사를 본다. 신부가 "주 예수의 이름으로 죄를 사해 주노라." 하면서 "주의 기도 10번, 성모송 10번 하세요."라고 한다.

고백 성사를 성실히 해야만 올바른 신앙생활을 하고 있다는 증표이기도 했다. 나는 이러한 관습이 형식이라고 생각되었다. 가령 큰 죄라도 이런 식으로 고백 성사를 본다 해도 죄가 사해질까, 하는 의문도 들었다.

나는 인생의 실전 앞에서 좀 더 깊이 있고 철학적인 종교관에 관심을 두게 되었다. 내가 80년 말 불문학자 민희식 교수(저자) "법화경과 신약성서"라는 책을 접했다. 짧게 요약하자면 법화경과 신약성서가 너무 흡사하다는 거다. 법화경이 2000년 앞서 있다. 법화경 구절과 신약성서 구절을 나열, 비교해 놓은 책이다. 그 책은 내가 소장하고 있다. 나는 다른 종교를 비하하거나 비방하고자 하는 것은 아니다. 오로지 내 개인적인 경험, 느낌을 썼을 뿐이다. 누구도 어느 길이 정답이라고 판단할 수는 없는 거다. 동창들 사이에 내가 여호와 증인에 빠져 있다는 거다. 나는 '여호와 증인'을 알지도 못하고 문턱에 가본 적도 없다. 나는 불교의 구절을 좋아한다. 그렇다고 절에 나간 적은 없다.

그때는 그랬다. 내가 원했던 대로 고등학교는 서울로 통학하게 되었다. 용산 삼각지 S 여고. 단짝이었던 영미는 갈월동 S 여고다. 서울로 통학하는 애들은 소사역 플랫폼에서 모두 만날 수 있었다. 내가 다니던 학교는 사립학교로 학생 수도 많고 개방된 학교였다. 우리는 3년 내내 기차 안에서 수다 떨면서 통학했다. 그렇게 3년은 순식간에 지나갔다. 고 3 졸업 시즌이 다가오면서 다른 학교 애들과도 서로 싸인지를 주고받았다. 누군가 부탁한 싸인지에 "잔잔히 굽이쳐 흐르고 있는 한강 물을 바라보면서 당신은 미래에 대한 어떤 꿈을 주십니까?"였던 문항이었다. 특별히 이룬 것도 남는 것도 없는 3년이었던 것 같아 후회감, 아쉬움이 밀려왔다.

고 3 하반기에는 문과, 이과로 분리되어 수업했다. 비싼 과외를 하는 애들도 있었다. 단짝이었던 혜영이와 진지한 대화도 했다.

대학 4년제 가면 그때 우리 나이 몇 살이 되지? 졸업 후 불과 몇 년 사회생활하고 결혼하면 무슨 의미가 있냐는 거다. 그때는 결혼을 전제로 했던 거 같다. 그럼, 우리 등록금이 저렴한 방통대나 갈까? 그렇게 시간만 흘렀다. 지금 생각하면 「"설산의 한 고조 새" 밤이 되면 추위에 떨면서 내일은 꼭 집을 지으리라 굳게 결심하지만, 아침이 되어 따사로운 햇살이 비추고 친구들이 놀자, 하면 함께 놀다가 미루고 미루다 결국 해가 지고 나면 후회하며 추운 밤을 지새운다는 설화 이야기다.」

사실 나도 대학에 들어가고 싶었다. 나보다 성적 뒤떨어진 애들이 대학에 들어가는데 나의 부모님은 이미 고령이었다. 엄마가 사정했다. 대학 입학금이 벅차다고 하셨다. 나는 언제든 입학할 수 있는 방통대에 가기로 했다. 지금도 진행형이다. 입학은 했지만, 졸업은 못 했다.

"우리는 인생에서 많은 것을 놓쳤다고 후회하지만, 우리가 가장 많이 놓친 것은 '지금, 이 순간들'이라고 한다. 매 순간 운명을 결정하는 것은 우리 자신이다. 그래서 인생의 봄날은 언제나 '지금'이다."

말할 수가 없었다

중3 때였다.

내 짝꿍은 김경애였다. 경애와 나는 짝꿍이 되어 가까워졌다. 공부도 잘하는 편이다. 천주교 대대로 믿는 집안이라고 했다. 풍채 좋은 아버지는 성당 평신도회장이라고 했다.

어느 날 학교 끝나고 자기 집에 가자고 했다. 친구 집은 북초등학교 근처 조마루 쪽이었다. 우린 원미산으로 놀러 갔다. 경애는 또래보다 성숙했다. 자기는 이다음에 우리 아버지 같은 사람과 결혼 안 할 거라는 이야기를 했다. 남에게는 잘 베푸는데 가정에서는 잘해주지 않는다는 거다. 경애따라 성당에도 갔었다. 하얀 미사 보를 쓰고 신부 앞에 나가서 영성체 받아먹는 경애 모습이 신비스럽기까지 했다. 그때는 학교에서 잘난척하거나 특별해서 선생님께 관심받는 애들은 미움의 대상이 되기도 했다. 무용 잘한다고 귀여움받는 애가 수연이었다.

수연이는 외동딸, 오빠가 세 명이라고 했다. 수연이가 바로 내 앞에 앉았다. 짝꿍이 경애가 볼펜으로 수연의 옆구리를 쿡쿡 찔렀다. 수연이가 참지 않고 신경질을 냈다. 그날은 체육 시간이었다. 수연은 노골적으로 체육 교사 총각 선생님을 좋아한다고 했다.

　체육 시간만 되면 우리 둘은 수연이의 얼굴이 어떻게 변했는지 큰 관심사였다. 체육 교사 얼굴 한 번. 수연이의 얼굴 번갈아 쳐다보면서 쿡쿡 웃기까지 했다. 진짜 체육 시간만 되면 수연이는 얼굴이 빨개졌다. 체육 교사가 키는 큰데 결코 미남도 아니고 호남형도 아니었다. 나는 그게 웃겼다. 신성일이나 알랭 드롱같이 생겼으면 이해가 된다. 왜 쟤는 저 선생을 어디가 좋을까 궁금했다.

　'장유진! 나와!!' 하는 것이다. 나는 순간 당황했다. 나는 그날 수업 시간 내내 앞에 나가 벌을 섰다. 경애는 끝까지 내게 미안하다는 말조차 하지 않았다. 그러나 내가 먼저 내 입으로 차마 말할 수가 없었다. 만약 내가 경애 입장이었다면 나 대신 친구가 벌을 서게 하지 않았을 것이다. 하얀 미사 보 쓰고 신부 앞에서 영성체 받아먹는 경애의 모습이 너무 상반된 태도에 나는 혼자서 해석하려고 애를 썼다. 친구 골려 주는데 서슴없이 과감하게 행동했었던 것 같다. 내가 순진한 것일까.

빛이 났다

나는 중학교 2학년 때부터 졸업할 때까지 막내 오빠 연애 편지를 2년 선배 이수영 언니에게 전달했다. 이수영 선배는 지적이고 여성스러웠다. 막내 오빠는 편지 심부름시킬 적마다 50환짜리 동전을 내 손에 쥐어 주었다.

난 그럴 때마다 기분이 좋았다. 오빠의 편지 받은 다음 날 선배는 답장을 주었다. 답장을 받을 때 내 기분은 날아갈 듯 기뻤다.

성취감도 느꼈다. 순간 행복한 오빠의 모습이 떠오른다. 내가 마치 훌륭한 가교 자로서 임무를 성실히 한 것처럼 흐뭇했다. 그러다가 교실에 분실 사고가 있는 날 책가방과 소지품을 책상 위에 올려놓고 손은 머리에 올린다. 담당 감시 아래 반장, 부반장이 일일이 소지품을 수색한다. 막내 오빠에게 전해줄 러브레터가 들킬까봐 내 가슴이 콩닥콩닥 뛴다.

드디어 학교 수업 끝나고 집으로 가는 내 발걸음은 룰루랄라 빨라진다. 답장을 받은 막내 오빠의 밝은 미소와 행복한 모습에서 언제나 나는 빛을 보았다. 나도 덩달아 즐거워진다. 그때는 중학교 영어 기초 문법, 영어 단어 스펠링, 숙어 시험을 기말고사, 중간고사와 관계없이 별도로 시험을 보았다. 채점은 고등학생들이 했던 것 같다.

내 것은 이수영 언니가 채점했는지 올 백 점 받은 시험지 뒷장에다 '유진아! 참 잘했다.!!'라고, 쓰여 있었다. 나는 누군가의 칭찬이 관심받는 기분이 행복 바이러스 자체였다. 누군가의 기쁨은 바로 나의 기쁨이란 것을 느꼈다. 우리 막내 오빠의 행복이 오래가기를 마음속으로 빌었던 착한 동생이었던 것 같다.

오늘 더 활짝 핀 나

일인일저 글쓰기 수업을 통해서 유년 시절의 행복했던 추억을 떠올리며 글을 쓰기 시작했다. 글을 쓰면서 절실히 깨달았던 것은 나의 부모님에 대한 사랑과 감사였다. 그들이 나의 형제였다는 고마움이었다. 긍지마저 느꼈다. 나는 오래도록 나 자신을 잊고 살았다. 나의 뿌리를 깨닫는 순간이기도 했다. 90년대 말 나의 중동 집이 빚보증으로 경매 처분되고 급기야 나는 암 투병까지 해야 했다. 인생의 어려움은 산 넘어서 산이었다.

손자들의 양육까지 도맡아야 했던 나는 힘든 시기였다. 나는 암울했던 기억을 잊고 싶었다. 내가 힘들 때 조카들이 서울대를 나와 변호사가 되고 대학교수가 되고 의사가 되는 것들이 남의 이야기였다. 어려움을 현실로 받아들이기까지 오랜 시간이 걸려야 했다. 역풍을 만나 보아야 어떤 바람에도 항해할 수 있다고 했다. 어려움이 있기 전까지 나는 순풍 속에서만 살아왔다.

「자기가 겪은 고통 덕분에 깊이 괴로워하는 인간은 가장 똑똑하고 현명한 자들이 알 수 있을 만한 것보다 더 많이 알 수 있다고 말한다. 행복한 시대는 없지만 언제든 지금, 이 순간 행복할 수 있다고 말한다.」

- 마흔에 읽은 니체 중 -

「아무렇게나 피어 있는 꽃은 없다.
마지못해 살아있는 꽃은 없다.
웃는 것을 잊은 꽃은 없다.
과거에 사로잡히거나 남의 결점을 찾거나 하는 꽃은 없다.」

「자연 속에 색깔이 생겨나는 것은 왜일까
그것은 풀도 나무도 새도 산도 있는 힘을 다해
자신의 마음을 무언가로 표현하고 싶었기 때문은 아닐까?」

「평범해도 좋다. 나는 언제나 봄바람과 같이 웃는 낮을 간직하고 싶다. 태양의 희망을 환히 빛내고 싶다. 달빛과 이야기하며 지성을 빛내도 싶다. 백석처럼 깨끗한 빛의 내가 되고 싶다.」

내가 힘든 시기에 지인과 이케다 다이사쿠 사진전 전시회 갔을 때 사진 옆 글이 좋아 메모해 두었던 글이다. 짧은 글이었지만 나름 용기를 얻었던 글귀였다.
나는 긍정의 마음으로, '언제나 지금이 나의 인생 봄날이

다'라는 열정과 도전 정신으로 오늘은 더 활짝 핀 나로 거듭
나는 삶을 살아갈 것이다.

나에게 책쓰기란

글쓰기를 통해서 자신을 알아가고 자신과 대화할 수 있는 과정이라고 생각한다. 평소 글을 쓰고 싶었지만, 실천 못 했다. 내가 문학에 관심 두기 시작했던 때는 중학교 시절이다. 국어 시간에 명작이야기가 나오면 메모했다가 그 책을 사서 읽었다. 스탕달〈적과 흑〉장편소설 책이었다.

이해하기가 어려워 두 번 읽었다. 주인공 줄리앙 소렐의 야망, 사랑, 파멸에 이르는 과정이 나에게 강한 인상을 남겼다. 테스, 이방인, 차타레 부인의 사랑 등 책 속에서 사랑관, 인생관, 도덕관을 배워 나갔다. 이기적인 욕망은 결국 비극을 초래한다는 것. 나름대로 인생의 기준이랄까. 그런 것을 배웠던 것 같다. 문학책을 독서하느라 늘 책상 앞에 앉아 있었던 나는 셋째 오빠가 칭찬했다.

여동생들 관리는 셋째 오빠가 철저히 했었다. 호랑이 오빠였다. 치마가 짧으면 짧다, 늦게 들어오면 야단쳤다. 늘 셋째 언니가 야단을 많이 맞았다. 사람들이 셋째 언니만 보면 예쁘다고 할 때 어려서부터 샘이 났다고 해야 하나 스트레스를 받았다. 난 언니와 모든 것이 정반대였다. 그 언니가 가요를 들으면 난 팝송을 들었다. 언제부터인가 언니는 나의 라이벌 상대가 되어 있었다. 나름대로 나는 어떤 돌파구 역할이 필요했던 것 같다. 그래서 나는 문학에 더 심취했던 것 같다. 용돈으로 나는 책을 사면 그 언니는 치장하는 데 용돈을 썼다. 어느 날 내가 교실에 들어서니까 반 친구들이 난리였다. 이유인즉슨 "유진이 언니 되게 예쁘다."는 거였다.

X언니 삼게 해 달라고 편지까지 전해 달라는 펜까지 생겼다. 특히, 오빠만 있는 수연이가 적극적이었다. 그렇게 셋째 언니는 수연이의 X언니가 되기도 했다. 수연네는 지금의 자유시장 한가운데에서 'C 상가'라고 제일 큰 그릇 도매 가게를 운영했다. 가겟방에서 지나가는 사람들을 한눈에 볼 수 있었다. 그날따라 반 친구들이 수연네 가겟방에 모였던 모양이다. 서울로 통학하는 빨간 교복 입은 언니는 유명했다. 집에서 늘 티격태격 하는 라이벌 상대였지만 반 친구들이 언니 칭찬하니까 그리 기분 나쁘지는 않았다.

부천에 살고 있습니다

나는 부천의 지금의 중동에서 태어난 토박이다. 우리 집은 부천에서 '호명이네' 하면 모르는 사람이 없었다. 호명이란 이름은 막내 오빠의 일본식 이름이었다. '10남매의 성장 이야기' 중동의 전설이라고 해도 과장된 말이 아니다. 내가 쓰고자 정해 놓은 책의 제목도 '중동의 전설'이다. 현재 진행형이다.

난 오빠가 네 명이다. 모두 잘 생겼다. 모두 대학을 졸업했다. 내가 살던 집은 지금의 순천향병원 옆 골목이다. 내가 초중고를 다닐 때부터 중동 신도시가 되고 버스가 다니게 될 거라고 했었다. 비가 올 땐 진흙이 되어 운동화가 흙 범벅이 된다. 그럴 땐 학교 가기가 싫었다. 이럴 때 버스라도 있다면 얼마나 좋을까 생각했었다. 꿈같은 이야기였다. 가문 날은 어쩌다 택시가 지나가면 흙먼지가 하얀 하복에 뿌연 흙먼지 가루가 묻어서 고역이었다.

50여 분 걸어서 초중고를 다녔다. 결석 한번 없이 학교를 졸업했다. 지금 생각하면 부지런하신 우리 부모임 덕분이다. 눈물겹도록 감사하다. 자랑스러운 부모님이시다. 그때만 해도 어려운 시절이었다. 내 또래가 나처럼 학교 다니는 애들도 없었다. 가발 공장 다니거나 밭에 나가 일을 했다. 그렇게 나는 부러움을 한 몸에 받고 학교에 다녔다. 어려운 시절에 10남매를 모두 학교에 보내서였는지 주변에서 우리 부모님은 대단한 분들이라고 칭찬을 아끼지 않았다. 우리 부모님은 자식들만큼 고생 안 시키고 훌륭하게 되기를 바라는 마음에서 온갖 희생을 아끼지 않으셨다. 그렇게 애쓴 덕분이랄까?

조카들이 서울대를 나와 변호사가 되고 대학교수, 의사 대기업의 간부급, 골고루 여러 직업에 종사하며 잘살고 있다. 그러한 배경들이 부천인으로 큰 용기와 자부심을 품게 한다.

「그때는 부모로서 자식을 위해 그렇게 희생하는 거로 생각했다. 그것이 당연한 거사로 여겼다. 내가 자식을 키우고, 손자들 양육하면서 절실히 깨달았던 것은 우리 부모님의 노고가 눈물겹도록 고마움이다. 그때는 감사함을 몰랐다. 왜 우리 부모님이 대단하다고 했는지 알게 되었다.」

부천 장말(중동) 인으로써 우리 부모님의 노고가 헛되지 않게 더욱 용기를 내어 자부심으로 긍정의 마음으로 오늘로 열심히 살고 있습니다.

아침

유년 시절 우리 집의 아침 풍경은 역동적이었다. 우물이 깊어서 펌프질 소리가 요란했다. 지붕 위에서 새벽부터 까악 까악 까치가 울어댔다. 개 짖는 소리, 닭장에서 모이 달라고 닭들도 시끄러웠다. 늦잠을 잘 수가 없었다. 꼭두새벽에 일어나신 울 엄마는 아침 준비를 끝내셨다.

밥상은 언제나 두 개가 차려진다. 한 개는 아버지, 오빠, 일하시는 아저씨가 잡수신다. 또 한 개는 우리들이 먹는 큰 원형 밥상이다. 엄마는 우리들이 밥 먹을 때 깨끗이 남김없이 먹어야 이다음에 잘 산다는 말을 자주 하셨다. 그래서 어린 나는 밥그릇을 깨끗이 남김없이 먹었다. 지금 나는 손자 둘을 돌보고 있다. 힘들 때마다 우리 부모님을 생각하면서 견딘다. 한 사람의 양육이 얼마나 힘든 일인지…. 우리 부모님은 10남매를 키우셨다. '아침' 하면 역동적인 유년 시절의 아침이 떠오른다.

배우자

인생에서 배우자 잘 만나는 일만큼 중요한 것은 없을 것이다. 6~70년대 여자 나이 25살 이상이면 올드 미스 소리를 들었다. 혼기를 놓칠세라 노심초사하는 건 부모님이셨다. 딸 6명이었던 우리 부모님은 혼사 문제에 민감하셨다. 난 두 번 선을 봤다. 내 이상형과는 너무 거리가 멀었다. 두 번 다시 선을 안 본다고 선언했다.

부모님 입장에서 '딸 안 굶기겠구나' 하면 오케이였다. 내가 결혼할 시점에서는 부모님은 고령이었다. 아버지는 선을 보는 사람마다 좋다고 하신다. 싫다고 하면 굴러온 복을 차 버린다는 둥 성화였다. 내 기준은 키가 크고 잘 생기고 진실해야 한다는 조건이다. 부모님은 생활력을 중시했던 거다. 딸 많은 집의 부모님은 딸 하나라도 빨리 결혼시켜 한시름 놓고 싶으셨던 것 같다. 난 26살 되던 해 4살 연상의 배우자를 만났다. 부모님과 오빠 허락 후 6개월 교제 후 결혼했다.

꿈

진정한 자신을 찾는 방법.
너는 이제까지 무엇을 진정으로 사랑했는가?
무엇이 너의 영혼을 끌어당겼는가?
무엇이 너를 지배하는 동시에 행복하게 했는가?
자신이 진정으로 원하는 것이 무엇인지 모른 채
세상이라는 바다 위를 표류한다.
〈마흔에 읽는 니체 103쪽〉

평소 나는 남의 글 베껴 쓰는 걸 좋아한다. 막연히 글을 써야 한다고 생각했지만 실천하기가 어렵다. 부제는 많지만, 순서 정리가 잘 안된다. 유년 시절부터 써야 다음 단계가 정리가 될 것 같다. 지금 나는 70대인데도 아이처럼 행동할 때가 많다. 먹고 입는데 풍요로웠지만 어린 시절 나는 엄마의 사랑을 요구했던 것 같다. 대화하자고 끊임없이 바랐던 걸 알았다.

다른 형제들은 건강하고 활발했다. 나는 허약했던 탓에 엄마한테만 투정 부렸다. 그러나 엄마는 나한테만 관심 쏟기엔 너무 많은 형제가 있었다. 일인일저 수업을 통해서 조금씩 실천하지만 부족하다고 생각한다.

장마가 시작되었다

유년 시절 복숭아가 탐스럽게 익어 수확할 무렵 어김없이 장마가 시작된다. 비란 농사짓는 사람의 마음을 기쁘게도 하지만 한숨짓게 하기도 한다.

복숭아가 상품으로 나오기까지 수백 번 농부의 손길을 거쳐야 한다. 무심코 사 먹는 과일 하나에 농부의 노고를 생각해 복이 있는지 뒤돌아보게 하는 시간이기도 하다. 가족의 한 일원으로 어린 우리들이 할 수 있는 건 과수원 원두막 지키는 일이었다.

우리 집 복숭아밭은 지금의 상동과 중동 사이에 있었다. 복숭아 둘레에는 조상묘가 줄지어 있었다. 원두막을 가기 위해서는 봉긋봉긋 솟은 산소 옆을 지나야 한다. 비가 추적추적 내리는 날은 원두막에 가기 싫었다. 꽃 산소에서 유령이 나올 것 같아 무서웠다. 우리 집 복숭아밭 옆이 큰 집 포도밭이었다. 바로 옆에 꽃상여 보관소가 있었다. 어린 나이에 무서움도 참고 원두막 지키는 일을 했다는 것이 지금 생각하면 내가 대견스럽다. 비 안 오는 날은 산소에 나비도 날고 온갖

들꽃들이 예쁘게 피었다. 무서운 것도 잊고 들꽃을 한 아름
꺾어다가 혼자 상상 속의 주인공이 되어 심심함을 달랬었다.

부천의 역사를 전하는 택시기사 작가

조남수

작가소개

1951년생, 조남수는 현역으로 군 복무 후, 대기업 직장생활을 그만두고 택시 영업으로 직업을 바꾸어 일하면서 한국방송통신 대학교 법학과를 졸업하고, 독서와 다양한 경험을 메모해 두는 습관과 봉사활동을 하면서 글쓰기에 관심을 두게 되었습니다. 1997년 최초로 월간 레지오 마리애 응모에 (두드리면 열릴 것이다)를 제출, 선정되어 월간지에 실렸고, 그해 MBC 여성시대 편지 쇼 응모에 (택시 기사의 하루)를 제출, 선정되어 라디오 방송 전파를 타게 되었습니다.

 2011년 부천시 자원봉사 센터 주최 자원봉사 후기 공모전에 (어려운 이웃을 돌아보며)를 출품하여 입상하였고, 2018년 부천 운전기사 사도회 20년 사 (그리스도 향기) 편집발행 하였습니다. 2022년 제1회 부천문화원 주최, 택시 수기 공모전에 (향토 역

사 안내 택시는 희망을 싣고) 를 출품하여 최우수상 선정, 2023
년 자서전 (회심의 70년 기) 발간에 이어, 제4회 효사랑 글짓기
공모전에 산문(어버이 은혜)을 제출하여 입상하였습니다.

비

비가 내리는 날에는 손님이 많은 편이다. 대부분 승객은 비 오는 날 젖어 있는 시트를 이해하는 편이다. 차 문 사이로 들어오는 빗방울을 막을 길이 없는 것을 아는 터일것이다. 손님의 성향에 따라 기사에게 화장지나 수건을 달라고 하여 닦아놓는 승객도 있고, 그냥 말없이 내린 승객도 있다.

손님이 차에 탔다. '아이 차가워'를 외친다. 앞선 승객이 시트에 우산을 놓았나 보다. 비를 피해 택시를 탄 승객이 시트에 있는 빗물에 옷을 젖으니 인상을 쓴다. 나는 연신 '죄송합니다'란 말을 전한다.

폭우가 쏟아지는 날 택시 영업은 조심 운전도 필요하지만, 승객을 위한 서비스도 중요하다. 시트를 살피지 못한 것에 마음이 무겁다.

천둥·번개

　불빛이 '찌지직 번쩍 우르르 쾅쾅' 하늘이 뒤흔들리는 것 같다. 옛 어른들은 뇌성과 벼락이 치면 빨래 거둬들이고 땔감나무를 거두어들인다.

　천둥과 번개는 비와 바람을 몰고 오는 스산한 날씨이지만 지나가면 상쾌하듯이 우주의 자연이 주는 선물 같다. 그리고 가끔은 죄를 짓고 살지 말라는 훈계처럼 들리기도 한다.

바람

　원두막에서 하늬바람은 시원함을 넘어 자연이 주는 고마운 선물이다. 식물은 햇빛 그리고 물과 바람이 있어야 싱싱하게 살 수 있다고 한다.

　바람에 흔들리면서도 쓰러지지 않도록 뿌리를 여러 갈래로 내려 양분을 빨아들여 튼튼하게 된다고 하니, 바람은 식물과 좋은 관계인 것은 틀림없다.

값진 향기

나는 요즘에도 빵집 앞을 지날 때, 빵 굽는 구수한 냄새
가 나면 그 빵집 간판을 한 번 더 쳐다보게 된다. 어쩌면 갓
구운 빵이 출시된다는 의미에 군침이 돈다.

아내는 가끔 찐빵과 만두를 사 온다. 내가 빵을 좋아하기
때문이다. 밥을 먹고도 빵을 후식으로 떼어 먹을 정도이니 말
이다. 나도 제빵사 자격증을 따서 밤이 들어간 빵을 만들어
가족들과 지인들에게 나누고 나도 실컷 먹었으면 한다.

갓 구운 구수한 빵 냄새도 좋지만, 값진 향기가 있다. 무
더위에 택배기사들의 땀, 공사판에서 집 짓는 근로자들의 땀,
열심히 뛴 운동선수들의 땀, 이런 냄새가 값진 향기가 아닌가
한다.

맛나게 먹는 즐거움

지적장애 복지시설에 봉사활동을 간 적이 있었다. 점심때가 되었을 때 시설 직원이 봉사자들은 장애인들이 식사 마칠 때까지 감시한 후에 식사 시간을 가지라 했다. 간혹 아이들 중 다른 아이의 배식판까지 빼앗아 먹는 경우가 있기에 이를 막아주어야 한다는 임무를 주었다. 봉사자들의 감시를 받는 분위기여서 그런지 그날은 빼앗아 먹는 일은 일어나지 않았다.

몸짓은 성인인데 지능은 4~5세 정도라는 아이는 식사량의 포만감 조절이 뇌에서 전달이 안 되어 배 터져 죽고 빼앗긴 아이는 굶어 죽는다는 우스갯소리는 시설 직원의 말이 씁쓸했다.

아무리 맛있는 음식이라도 맛을 느끼지 못한다면 무슨 낙으로 살아갈까, 맛나게 먹는다는 것이 얼마나 행복하고 즐거운 일인가, 새삼 감사하게 생각한 날이었다.

아침

선생님께서 3분 글쓰기 주제를 '아침'이라고 제시해 주었다. 우선 생각나는 것이 헬렌 켈러의 《3일 동안만 볼 수 있다면》이 떠오른다. '이른 아침에 잠에서 깨어나면, 풀잎에 맺힌 영롱한 이슬방울을 두 눈으로 감상하면서 하루를 시작하겠다.'라는 명작품이 펼쳐진다.

'아침 운동은 좋은 것'이라고 어느 매스컴에서 들은 지라, 가벼운 운동복 차림으로 근처 공원에 산책을 나선다. 솔직히 나의 아침은 예전 같으면 그날의 일과를 챙기느라 아침밥이 코로 들어가는지 입으로 들어가는지 모를 정도로 허둥댔지만 근래에 와서는 아등바등 살아가는 양상이 조금은 달라졌다.

우리나라 사계절이 언제부턴가 봄, 가을은 짧고, 여름과 겨울은 길어졌다. 해서, MZ 세대들은 '봄, 여~~~름, 가을, 겨~~울'이라 부른다고 한다. 지금의 6월은 초여름이지만 아침 공기는 아직 견딜 만하다. 아침 운동을 나가면서 마당 화분에 토마토 나무 모종이 자라 제법 탐스러운 열매가 눈에 들어온다. 대문 박 담장 아래 화단에는 봄에 심어놓은 채송화가 내가 좋아하는 다홍색, 노란색 꽃으로 자태를 뽐낸다.

백합, 달맞이꽃, 이름 모를 식물들 사이로 고구마 순이 며칠 전 내린 비를 흠뻑 맞고 흙이 보이지 않을 정도로 우거졌다. 이웃 주민들이 지나가면서 "화단을 잘 가꾸시네요."라는 인사말을 뒤로하고 공원으로 향한다.

공원길은 우레탄으로 깔아 놓았기에 걸을 때 무리가 덜 간다. 그렇기에 동네 주민들이 많이 이용하는 편이다. 울창한 나무 사잇길로 걸으면서 묵주기도를 바친다. "오늘도 무사히"라는 소녀기도 상을 연상하듯이….

아침 시간에 건강과 힐링을 얻는 여유로운 생활 방식에 감사하며 잘될 것만 같은 희망의 하루를 연다.

꿈

어렸을 때의 꿈은 엔진을 달아 마음속의 꿈을 향해 순항하였다. 그러던 중에 집안 형편상, 꿈은 꿈으로 사라졌다. 진학하지 못한 학생들을 모아 무상으로 가르쳐주신 선생님들을 보고, 돈 없고 가난한 학생들을 위해 학교를 설립하겠다는 꿈을 가졌다.

부귀영화를 누리는 꿈도 아닌 그저 소박한 꿈도 일장춘몽이 되었다. 그럼에도 항상 꿈은 마음 한구석에 두면서 살아왔다. 시니어가 되면서 종교 교육에서 강단에 서 보는 기회가 주어졌다. 꿈은 포물선을 그리는 요술쟁이인가 봐….

장마가 시작되었다

봄에 토마토 모종을 마당 화분 3개에 각각 심어놓았더니 제법 허리춤까지 자랐고 열매도 열렸다. 계속되는 장마에 고개를 숙이고 축 늘어져 있는 모습이 "나 좀 살려줘"하는 것처럼 보인다.

비를 맞지 않기 위해 처마 밑으로 옮겨놓았더니 몇 시간 후 고개를 들었다. 그런데 옆에 있는 군자란이 느낌이 좀 이상하다. 우리 집에서 키우는 식물은 반려 식물처럼 대화한다. 초겨울 지하실로 옮길 때는 '이제 추우니 들어가자'하고, 새봄이 되면 '이제 햇볕에 나가자'하며 밖으로 내놓는다. 이런 대화는 어렸을 적에 시골에서 아버지가 농사일하시면서 중얼거림을 들으며 자랐었다.

군자란을 건드려 보니 그대로 쓰러진다. 흙 속의 줄기 부분이 완전히 섞어 뿌리는 없고 몸뚱이와 잎만 남았다. 라디오에서 〈난〉 관리 방법을 들은 대로 썩은 부분을 물로 깨끗이 씻어내고 에탄올 소독약을 뿌려준 후, 몇 시간 그늘에 말려놓았다가 다시 심었다. 살아날는지 모르겠다. 둘 다 장마 대비에 소홀하였나 보다. 예로부터 전해 오는 이야기에 '삼 년 가뭄은 살아도 석 달 장마는 못 산다.'라는 가뭄과 장마가 대비되는 속담이 실감 난다.

영화제

해마다 열리는 부천국제판타스틱영화제는 올해도 2023년 6월 29일부터 7월 9일까지 "이상해도 괜찮아"라는 주제로 화려한 막이 올랐다. 개막식 하면 레드카펫인데 김성균. 김선영, 박중훈, 안성기, 양동근, 장서희, 장영남, 최민식 등 배우들이 참석하여 부천국제판타스틱영화제를 빛냈다.

지난달 6월 28일 부천문화원에서 영화 "봉오동 전투"를 감상하였다. 송내어울마당 4층 강당은 영화관 못지않은 냉방시설이며 디지털 영상으로 관람할 수 있었다. 출연진은 이병헌, 유해진, 리우진, 송승헌, 조우진, 고두심, 이경영, 정진영, 정만식, 이성민 등의 배우들이 다양한 역할로 배역하였다.

이 작품은 1920년대 일제강점기에 무자비한 탄압 속에서 한 소년이 봉오동에서 항거하는 역사적 사건을 바탕으로 국가와 동포를 지키기 위해 희생하는 용기와 투지를 다루고 있다. 명대사는 "우리는 국가를 위해, 우리는 동포를 위해, 우리는 가족을 위해, 우리는 봉오동에서 죽고 있다. 그러니 굳이 외로워하지 말라. 이 나라를 위해 우리는 피를 흘린다." 끝 장면에 최민식 배우가 출연하며 감동적인 영화로 대미를 장식하였다.

달콤한

초등학교 3학년 때였다. 혼자서는 처음으로 고모네 집에 놀러 갔다. 어린 마음에도 고모는 포근하고 참 편한 분이기 때문이다. 고모네 집은 걸어서 1시간 정도 가는 길이었다.

고모가 "남수 왔구나."하시면서 반갑게 맞이해 주신다. 그러고는 광(세간이나 그 밖에 여러 가지 물건을 넣어두는 곳)에 들어가시더니 무엇인가 내 손에 쥐어주신다. 손을 펴보니 달콤한 곶감이다.

그 시절 곶감은 조상님 제사 지내고 운감(제사 때에 차려 놓은 음식을 귀신이 맛본다는 뜻) 뒤에나 맛보던 귀한 과일이다. 고모는 작고하셨지만, 달콤한 사랑을 주셨던 분이었다.

심취했다

일생을 담은 부끄러운 글이지만 용기 내어 발행하였다. 증정해 드린 어떤 분의 소감은 의외로 첫 페이지부터 눈물을 훔치고, 마지막 페이지까지 울면서 읽었다고 한다.

작가도 아닌 어설픈 글이지만, 글 안으로 깊이 빠져들어 심취한 것으로 보인다. 그렇게 평가해 준 독자에게 미안하고 감사하게 생각한다. 나도 책을 읽을 때는 책 속에 마음을 빼앗겨 보련다.

빛나다

사우디 열사의 나라에서 근로자로 일하고 귀국하면서부터 머리카락이 빠지기 시작하더니, 이제는 거울을 보기가 두렵다.

성당에 가면 나를 보면 빛이 난다며 형광등을 꺼도 된다고 놀리는 짓궂은 친구가 있다. 강당에 모여 교육받을 때였다. 나와 머리카락이 비슷한 친구가 우연히 옆자리 앉았다. 짓궂은 친구는 순간을 놓치지 않았다. 쌍라이트 켜서 눈부시다고 놀렸다.

어느 날은 택시 승객이 요금을 결제하지 않아 경찰서에 신고했다. 승객과 나를 중재 하던 경찰관의 말이 두고두고 기억에 남는다. "머리도 다 빠지고 형님 같은 기사 분에게 요금을 내면 복 받는다."

후회했다

미국에 사는 친척 결혼식에 초청받고, 10일간의 일정으로 출국하게 되었다. 아버지가 치매로 8년간 고생하시는 것이 마음에 걸린다. 설마 10일 동안에 무슨 일이 있을까? 하며, 흔치 않은 미국 여행길이었기에 강행하였다.

미국에서 8일째 되는 날이었다. 새벽에 카톡 전화로 불길한 소식에 잠에서 깨어났다. 이틀도 못 참고 훌훌 떠나셨을까? 세상을 하직할 시간이 임박했을 때, 미운 아들이라도 얼마나 찾으셨을까? 임종을 지켜드리지 못한 불효가 몹시도 후회스러웠다.

그때는 그랬다

1960년대로 기억된다. 그때는 빈부의 격차가 지금보다 컸다. 점심 식사를 서울 소공동이나 명동에서는 고급 레스토랑이나 그릴에서 고기를 굽는 그야말로 유리창 넘어 들여다보이는 근사한 분위기지만, 이웃하는 남대문시장 어두컴컴한 골목, 천막에 긴 의자를 펴놓고 단팥죽, 칼국수, 꿀꿀이죽을 한 그릇에 10원 정도 받으며 팔았다.

전차(전동차) 기본요금이 학생은 2원 50전이었으니, 10원에 가치는 짐작이 간다. 이곳을 찾는 사람들은 모자를 꾹 눌러 쓰고 남의 눈에 띄지 않아 자유로울 수 있는지도 모른다. 자본주의 국가에서 흔히 볼 수 있는 광경이다.

그런데 꿀꿀이죽 원료가 무엇인지 궁금했다. 미8군 식당에서 먹다 남은 음식물을 수거해서 감자를 썰어 넣고, 가마솥에 팔팔 끓여 내놓는 것이 바로 그것이었다. 마치 카레와 비슷하고 맛이 구수하다. 어떤 때는 꿀꿀이죽을 먹다 보면 담배

꽁초 필터, 종잇조각 등이 섞여 있을 때도 있다. 그걸 발견해도 그때는 다시 바꿔 달라는 말을 할 수가 없었다. 얘기를 한다 해도 음식점 주인은 다른 음식을 가져다줄 리도 없고, 얼굴이 익히면 다음부터는 사서 먹을 수 없었다.

말할 수가 없었다.

초등학교 수업, 작문 시간에 200자 원고지를 준비해 오라 하였는데, 준비하지 못했다. 책상 위에는 국어 공책과 몽당연필뿐이었다.

선생님은 "준비물 없는 사람은 손들어" 하시면서 "손을 든 아이들은 교실 뒤편으로 가서 계속 손 들고 서 있어라." 했다. 그리고 방과 후, 교실 청소하고 하교해야 하는 벌칙까지 감수해야 했다. 준비물을 준비해 온 학생들은 "하하 호호" 도란도란 행복의 미소가 넘쳤다.

나는 친한 친구와 함께 벌서게 되었다. 동병상련이 이런 마음일까? 함께하니 마음고생은 덜 했다. 학교에서 그런 수난을 받고 집에 돌아와서 학교에서 있었던 얘기를 부모님께 말할 수가 없었다. 어려운 집안 사정에 속상함을 더하고 싶지 않았다.

아마도….
했을지 모르겠다

초등학교 3학년 때였다. 아직 학교에 입학하지 않은 동생이 오빠 학교에 따라가겠다고 졸라대어 데리고 갔었다. 담임 선생님께서는 교실 맨 뒤 의자에 동생이 앉아 있도록 배려해 주셨다. 쉬는 시간이었다. 어떤 녀석이 "냄수야, 느그 할매 왔다." 했다. 그 녀석은 나를 꼭 '냄수'라고 놀려 불렀다.

"뭐? 할머니가 왔다고?" 장난이겠지 하면서도 창문을 통해 내려다보았다. 정말 할머니는 내 이름을 계속 부르시며 운동장을 가로질러 교실 쪽으로 저벅저벅 오시는 게 아닌가. 할머니는 손녀가 보이지 않자, 온 동네를 찾아 돌아다니다 오후반 등교한 손자에게 물어보러 학교까지 찾아오신 것이다.

그런데 할머니는 삼배 적삼에 고쟁이만 입고 있는 것이 아닌가. 어린 마음에도 할머니의 옷매무새가 난처하였다. 담임선생님께서 나오셔서 "어서 할머니를 집에 모셔다드려라." 하시는데 쥐구멍에라도 들어가고 싶은 심정이었다.

젊었을 때 여장부로 당당하셨던 할머니는 아마도 잃어버린 줄로 알았던 손녀를 찾는다는 다급한 마음으로 당신의 옷차림을 미처 살피지 못했을지도 모르겠다.

남편이 된다는 건….

젊었을 땐 아내와 다툴 때가 많았다. 그런데 문제는 말싸움 중에 웃음이 나오는 것이 약점이다. 싸우다 웃으면 맥이 빠지고, 망신살이다. 그래서 웃는 모습을 보이지 않으려 뒤돌아서면 아내는 눈치를 채고 분에 넘쳐 반격에 나선다. 승패는 이미 결정 나고, 그것으로 끝이다.

좋은 남편이 된다는 것은 아내가 원하는 배우자를 만난다면 아내는 행복할 것이고, 반대로 남편이 원하는 배우자를 만난다면 남편은 만족할 것이다. 이 세상에서 다투지 않고 살 수만 있다면 얼마나 좋을까? 누구나 고민해 볼 일이다. 이는 상대방의 입장에서 바라보고 이해한다면 싸우는 일이 줄어들지 않을까, 더 나아가 원만한 배우자상으로 승화되지 않을까.

좋은 남편이 된다는 것에 초점을 맞추다 보니 철학적인 의미로 흘러들어 잘 모르겠다. 아무튼 요즘 사회에서 좋은 남편 소리 듣기는 어려운 일이다. 속담에 '부부싸움은 칼로 물

베기'란 말처럼 애증 속에서 믿음은 변치 말아야 한다. 신뢰 받는 남편이 되기 위해서는 진실이 따라야 한다.

부천에 살고 있습니다….

　　부천 약대 중리로 이사 와서 이웃집에 인사차 떡을 돌리면 새댁이 이사 왔다고 환영하는 분위기여서 고향에 돌아온 것처럼 포근하였습니다. 그때만 해도 중, 상동은 허허벌판으로 봄에는 개구리가 개굴개굴 아침잠을 깨우며 서울 공기와는 사뭇 다른 상쾌한 아침을 맞이할 수 있었습니다.

　　가을에는 황금 들녘을 가로질러 농로가 나 있는데, 그 농로를 따라 경운기나, 트랙터가 다니는 좁은 길이었습니다. 소형차 정도는 다닐 수 있었습니다. 부천 넘말에서 인천 부평구 부개동까지 가려면 경인 국도로 돌아가는 길보다 훨씬 가까운 지름길이었습니다. 다만 길이 좁아서 행운이 따라야 쉽게 건너갈 수 있었습니다. 건너편에서 차량이 출발하였으면 그 차량이 도착할 때까지 기다렸다가 출발하는 게 약속처럼 되었습니다.

　　철 따라 송내동은 소사 복숭아로 유명한 복숭아밭이 있고,

넘말에서 송내 북부역 사이에는 포도밭이 있기에 과일을 사러 가기도 하였습니다. 불과 40여 년 전, 부천의 일상이었습니다. 그 후 급격한 인구 증가로 황금벌판은 신도시 아파트 단지로, 심곡천 복개 공사, 지하철 7호선과 서해선이 차례로 개통되었고 주민 편의 등 여러 면에서 숨 가쁘게 발전되었고, 2023년 부천시 승격 50주년을 맞이하였습니다.

눈부신 발전에 주민의 삶의 질은 높였지만, 주민들의 정서적인 문화 의식도 함께 공유해야 하지 않을까 합니다. 또한 근래에 들어 장마와 불볕더위의 원인이 화석연료 사용과 인간의 행위로 인해 지구 온난화에서 기후 위기로 격상하였다는 설이 확실시되고 있습니다. 나부터 음식물 쓰레기 줄이기에 협조해야 하고, 특히 단체모임에서 버려지는 음식물 쓰레기의 음식문화를 다시 한번 생각해 볼 때가 되었습니다.

부천에서 두 남매를 키우고, 초, 중, 고, 대학까지 부천에서 교육했고, 삶의 터전을 이루었기에 부천은 제2의 고향처럼 여겨왔고 자랑스럽습니다. 나의 자녀들, 더 나아가 후손들까지도 부천이 살기 좋은 도시로 물려줄 것을 염원해 봅니다.

부천의 역사와
문화 이야기

1982년에 부천으로 이사와 제2의 고향이나 다름없지만 부천의 역사와 문화에 대해서는 잘 알지 못하고 우리 자녀 역시 입시 위주로 학습하여서인지 지역의 역사는 잘 모르는 것 같다. 부천은 전국 각지에서 이사 온 사람들이 모여 사는 곳이기에 대부분 시민은 관심이 부족했던 것도 사실이다.

부천에서 승객들의 이동 수단인 택시 기사로 30여 년간 종사해 왔지만, 택시 이용 손님들은 다른 대중교통보다 빠르게 목적지로 가기를 원했고, 택시 기사도 덩달아 쾌적한 길을 찾아, 신속한 운행 서비스로 승객들의 만족을 끌어내야 하는 게 현실이었다.

2022년 늦은 봄, 부천문화원에서 제1기 부천 향토 역사 안내 택시 희망자를 모집해서 해설자를 양성한다는 소식을 개인택시조합 공지 사항을 통해 알게 되었다. 몇 년 전에 동해안 8경 관광할 때와 태안 수목원 탐방 시에 해박(該博)한 해설사가 동반하여 뜻있는 시간이 되었고, 어쩌면 운 좋은 날이었다. 그날을 계기로 해설사의 중요성도 실감하게 되었다. 부천에도 향토 역사 안내 택시가 운영된다는 소식에 반가운 마음으로 신청하였고 다행히 선정되었다.

누군가를 위한 안내자나 해설자는 밝은 사회를 지향하는 일을 담당한다는 신념으로 교육을 고무적으로 참여하였다. 내 고장의 역사와 문화는 자긍심을 심어주고 미래를 열어가는 정신적 지주 역할을 기대하기 때문이다. 지정된 날에 부천문화원 대강당 입구에서 명찰과 자료를 수령하고 엄숙한 분위기 속에 국민의례, 강사 소개 후, 강의가 시작되었다.

오랜만에 교육을 받아서인지 의자에 앉아 있는 자세가 계속 흐트러지고 강의가 집중되지 않는다. 옆이나 뒤에도 아는 사람이 있어서 꾸벅꾸벅 졸 수도 없는 노릇이다. 향토 역사 해설사가 되려면 부천의 역사를 잘 알아야 하고, 또 설명할 수 있어야 하는데 말이다. 궁여지책으로 자료집 공간에 강의 내용을 메모해 가면서 졸음을 해소해 보았다. 부천 향토 역사 안내 택시 해설사로 새롭게 도전해 본다.

책쓰기 첫걸음

허금식

작가이야기

나는 아침마다 환하게 웃는 내 사진을 바라보면서
되뇌는 말이 있다.
나는 건강하다!
나는 행복하다!
나는 멋져!
모든 것이 잘될 거야!
글쓰기가 지금은 어렵다. 하지만 꾸준히 하다 보면
아마 나도 글쓰기를 좋아하게 될지 모르겠다.

삼행시

허 허 그놈 겁나게 실하네!
금 세 저렇게 쑥 자라네
식 물이나 사람도 따뜻한 마음을 품고 키우면 멀지 않아
   이쁜 꽃과 달콤하고 먹음직한 탐스러운 열매가 주렁주
   렁 열릴 것이다.

허 허 신통하게도 우리 형제가 왔다고 반기네
금 방 왔는데 저기도 허네
식 을 줄 모르는 차 속에서 한바탕 웃음

여행

    첫날부터 웃음으로 시작해 재미있고 유쾌한 3박 4일 제주도 여행이었다. 조카 덕분에 알찬 여행이었다. 렌터카가 허로 시작되는 것을 처음 알았다. 지금도 그때를 생각하면 입가에 웃음이 번진다.

6월

6·25 때 전사한 아버님이 생각이 난다. 우리가 이렇게 잘 살고 있는 것이 아버님 덕분이 아닐까?

꽃다운 나이에 혼자가 되어 온갖 고생을 다 하고, 아들 하나만 믿고 바라보면서 청춘을 바쳤으니 안쓰럽고 뭉클하다. 존경스럽다. 늘 나 자신에게 엄마에게 잘 해드려야겠다고 항상 마음먹고 잘해드리려 노력한다. 주변 동네 사람들도 부모님께 잘한다고 하는데 그래도 내 마음에는 부족한 것 같다. 하지만 이런 마음과 달리 마음이 종종 상하기도 한다.

잘 듣지도 못하고 엉뚱한 말을 하는 엄마는 나를 당황스럽게 한다. 당황스러움에도 마음을 다잡으며, 나도 늙으면 그럴 테니 이해해야 한다. 하지만 때론 잘 안되기도 한다. 아무것도 모르는 것처럼, 아무 일도 없었던 것처럼 고요해진 엄마에게 나도 언제 당황했냐는 듯이 다진 견과류를 건넨다. 엄마, 우리 이대로 건강 유지하면서 정답게 살아요.

꽃

아름답지 않은 꽃이 있을까?

온갖 꽃들이 저마다 예쁘다고 뽐낸다.

나는 어릴 때 자주 본 꽃들이 더 애정이 가고 좋아한다.

그중에서 봉숭아꽃!

꽃말은 '나를 건드리지 마세요'라고 한다.

꽃, 잎사귀, 백반을 넣고 콕콕 찧어서 손톱 위에 넣어 비닐로 씌워 실로 꽁꽁 묶고 자면 아침엔 예쁜 주황색으로 물든 손톱

그래서 몇 년 전까지만 해도 화분에 심어 여름에 엄마랑 둘이 봉숭아 꽃으로 손톱을 물 들이곤 했다. 엄마는 저승길이 밝다고 해맑게 웃고 좋아하셨다. 작년 올해 못 해 드려 죄송합니다. 내년에는 꼭 심어 예쁘게 해 드릴게요. 사뿐히 꽃길만 걷게 건강만 하세요.

장마가 시작되었다

올여름도 벌써 장마가 시작되었다. 작년만 해도 우리 집엔 물통이 여기저기서 빗방울이 뚝뚝 합창했다. 아이고! 흥부네 집이라 하면서 이리 뛰고 저리 뛰며 통 갖다 놓기가 분주했다.

올해는 비가 주룩주룩 와도 걱정이 없고 마음에 여유를 찾는다. 봄에 미리 집수리를 해 예쁘고 깔끔한 보금자리로 단장했다. 저 빗속에 내 마음에 때도 함께 조금씩 씻겨 버리고 동심의 세계로 돌아가 착한 마음으로 살고 싶어라.

운율 위에 띄우는 글쓰기

홍순임

작가이야기

어려서부터 신문에 좋은 글이 있으면 눈길이 갔다. 얼마만큼 배우면 이렇게 신문에 글을 올릴 수 있을까.

신문에 글 쓰는 게 꿈이였던 내가 말년에 글 쓰는 흉내를 내고 있다. 만약 내가 작가라면 한번 꽂히면 밤낮을 안 가리는 성격이라 아마도 건강을 해칠 것 같다.

많은 작가가 장수하지 못한 이유가 아닐까.

목련

담벽 아래
목련 한 그루
가지마다 꽃등 달고
선녀처럼 활짝 웃고 서 있다.

잎새보다 먼저 피는 꽃
꽃송이 송이마다
순종의 탐스러운 자태는
자비의 넋이런가

화사한 봄날에 꽃피어
보는 이의 마음을 정화하네

햇살 속에서 행복의 나날들
내 임의 사랑도 찰나에 지나지 않네
세찬 비바람이 휘몰아치던 날
자연의 경건함 속에서
떠날 채비를 하고 한잎 두잎 우수수
너무도 허망하게 낮은 곳으로 꽃잎이 떨어진다.

희망과 절망이 존재한 곳에는
또 다른 생명을 잉태하며
후회 없는 주검을 맞는다
자연의 섭리 속에서

초록의 5월

야생화 찔레꽃과 아카시아꽃 내음
달큰하고 향긋한 라일락 꽃향기 속에서
싱그러운 초록이 온 천지를 흔들어 깨우는 오월이다.

바람에 스치는 꽃내음도
옛 추억의 향수도
한꺼번에 밀려와 요동을 친다.

신록의 숲에서 잃어버렸던 또 하나의
나를 찾아 깨어본다.
깊은 숨이 코끝으로 들어가고 나옴을 알아
대자연을 만끽하고 산다는 건
그 무엇에 비길 수 없는 환희 그 자체이다.

아침 햇살에 반짝이는 푸르름
계절의 여왕답게 초록 초록이다.

언제나 든든한 물오른 수목처럼
싱싱한 나의 사랑을
바람과 햇볕과 초록의 조화를
변함없이 간직하고픈 오월이다.

원미산

원미산은 부천의 자랑이다.
봄에는 아름다운 진달래 축제
전국적으로 유명세를 떨친다.

여름에는 풋풋한 신록의 계절
멋진 소나무와 맑은 공기
힘들고 지친 영혼을 달래주는 나무 그늘이다

가을에는 형형색색으로 단풍에 물드는 계절
등산객들이 위안을 얻고 가는 작고 아담한 산이다.

겨울에는 앙상한 가지를 드러내면서 겨울 준비를 한다.
사철 푸르름을 자랑하는 아름다운 원미산의 소나무는
부천시민의 기개를 닮은 듯 지칠 줄을 모른다.

청춘

청춘은 미완성
사는 것은 뜻대로 안 되는 것이라지만
가난은 내 청춘의 이정표였다.

꿈과 희망만이 존재한
내 젊은 날의 청춘은
절망이라는 소용돌이 속에서
무척이나 힘들었다.

까닭 모를 그리움이. 미움이. 원망이.
눈물이, 그리 많았던가

청춘이 흔들릴 때마다
엉엉 소리쳐 울며 꿈에서
깨어났을 때 그 허전함이여

가버린 사랑 아름답고 짧았던 청춘
내 나이 팔순의 정점에 서서
이제는 옛날이 되어서 메아리로
되돌아온다.

숲

숲은 조용히 말한다.
나무를 보지 말고 숲을 보라 한다.

미움과 다툼이 없는 숭고한 이 청정에
서로를 어우르며 살아가는 생명체들
편안한 요소에 앉아 안식을 취해본다.

이 숲에 기운을 들이마시자
맑은 공기 속에서 더 이상의 힐링은 없다.
숲은 언제나 인자하고 따뜻한 어머니 품이다.

멀리서 바라보이는 아름다운 숲속에는
어떤 동무의 가족이 살고 있을까
부엉이, 뻐꾸기, 소쩍새, 노루
날짐승과 들짐승이 공존해서 사는 곳

모든 생명의 은신처가 되는
이 숲에서 안정과 평화를 꿈꾼다.

엄마가,
아빠가 된다는 건

엄마가 아빠가 된다는 건 쉬운 일이나
아빠가 엄마가 된다는 건 쉬운 일이 아니다.
자식을 길러내는 일도 엄마의 몫이고 먹이고 입히고
가르치는 일도 엄마의 몫이기 때문이다.
자식이 성장해서 부모 곁을 떠날 때도 당연히 엄마의
역할이 클 수밖에 없다.

집안일이고 모든 살림살이는
엄마가 아니면 돌아가지 못하는
쉼 없이 돌아가는 물레방아와 같다.
물레방아는 멈춤 없이 같은 톤으로 돌아가야 한다.
한 가족도 엄마 아빠가 같이한다면 더욱 빛이 나고
정확하고 바르게 잘 돌아가는 물레방아일 것이다.

부천에
살고 있습니다

88올림픽 축구 열기가 끝날 무렵에 아버지가 돌아가시고 부천에 장사 하려고 왔다가 살다 보니 정이 들어 정착한지도… 팔십구 년도에 왔으니 삼십 년도 넘었다.

내 젊음을 몽땅 부천에서 보낸 셈이다. 힘든 장사 일에 세월은 가고 내 인생에 회의가 일기 시작. 일하면서 공부해서 소원 성취를 이루었다.

부천에 와서 인생 이모작을 한 셈이다. 부천에서 하고자 하는 것 다 했고 이렇게 글까지 쓰고 있으니, 무엇을 또 바라겠는가!

열심히 산 나에게 상을 주고 싶다. 부천은 나에게 고향이나 다름없는 정든 곳이기도 하다.

눈

어느 해인가 오 월 오 일 강원도 대관령에
버스를 타고 가는데
눈이 산발같이 창문을 때린다.
어린이날 눈 선물을 받은 아이들은 환호성 쳤고
아름다운 대관령 풍경과 한 폭의 그림이 인상적이었다.

원칙을 어긴 기후 탓에 여행은 즐거웠지만
사람도 기후도 원칙을 지키며 산다면 세상은
참 살 만하지 않을까.

심취했다

젊어서 못 해본 글쓰기
말년에 어설프게 심취했다.
지금에 와서 이렇게 글쓰기에
미칠 수 있다는 건 내 배움의 끈을
놓지 않았기 때문이다.

빛이 났다

　예순다섯에 공부를 시작해서 중학교 과정부터 차근차근 쌓아서 밤이면 장사를 하고 낮이면 학교에 가고 형설지공으로 열심히 공부한 탓에 수능까지 보고 수시로 대학에 들어갔다.

　이십사 년간의 장사를 끝내고 본격적으로 대학 공부에만 몰두할 수 있었다. 다행히 졸업할 때까지 국가장학금도 받고 좋은 성적으로 대학을 졸업했다. 이른 셋에 졸업할 때 형제들과 조카들한테 축하 인사를 받을 때 내 인생에서 가장 잘한 일이라 여겼었다.

　지금은 그 힘든 노력의 결실에 빛이 난다. 무너진 자존감을 되찾기 위해 얼마나 공부가 하고 싶었으면 일하면서 하는 공부는 더욱더 빛이 났다.

후회했다

아버지를 모시고 살면서 암으로 힘들어하실 때
자식으로써 더 잘해드리지 못해서 많이 자책하고
후회했다.
왜 그때는 모르고 뒤늦게 깨달아 가슴을 치게 될까

그때는 그랬다

비가 오면 우산이 없어
마분지로 된 비료 포대, 비닐을
머리에 쓰고 다녔다
비가 오면 땅은 진창이어서
고무신이 푹푹 빠져서 신발을 손에 들고
바지는 걷어 올려서 학교에 다녔다.

말할 수가 없었다

부모님 말씀에 순종하고
자기 뜻을 말할 수가 없었다.
수학여행도 가지 마라
농번기 때는 일해야 하니
학교에 가면 안 된다.
그저 부모 뜻에 따르고 한 번도
토를 달지 못했다.
지금 아이들은 의사 표현도 잘하고
자기주장도 강해 부모들이 절절매지만
우리 때는 부모의 말씀이 곧 법이었다.

아마도 했을지도 모르겠다

좀 더 부유한 가정에서 태어났으면
아마도 지금쯤은 무엇이 돼도
되어 있을지도 모르겠다.
스포츠와 공부 면에서 선생님 정도는

나에게 책 쓰기란

제2의 인생을 사는 기분이다.
쌓였던 추억들이 실타래처럼 풀어져 나온다.
또한 나를 완성해 가는 과정이기도 하다.

오늘 더 활짝 핀 나

팔십 평생 글 쓰는 호사도 누리고
어느 때 이런 편안한 때가 있었던가.
감개무량하다.
무엇이든 하면 된다고 자부하게 된다.
사람은 어떠한 개기가 중요한 것 같다.
때를 잘 만나야 무엇이 되도 될 것 아닌가?
내 정성과 열정이 오늘에 나를 있게 한 것 같다.
감사합니다.

오
늘
더
활
짝
핀
나

발 행 일 ┃ 2024년 2월 20일

글 쓴 이 ┃ 박성숙 박옥희 박은실 신영기 양월화 유이순
　　　　　　이영숙 장유진 조남수 허금식 홍순임

지도·감수 ┃ 김문경　　**담당강사** ┃ 김문경　**편 집** ┃ 김문경　　**표지디자인** ┃ @mkbook_mk

펴 낸 이 ┃ 한건희

펴 낸 곳 ┃ 주식회사 부크크

출판사등록 ┃ 2014.07.15.(제2014-16호)

주　　소 ┃ 서울특별시 금천구 가산디지털1로 119 SK트윈타워 A동 305호

전　　화 ┃ 1670-8316

이 메 일 ┃ info@bookk.co.kr

I S B N ┃ 979-11-410-7188-2